KB082254

노인 자서전쓰기 수업을 통한 8인의 이야기

자서전
어제와 내일을 기록하다

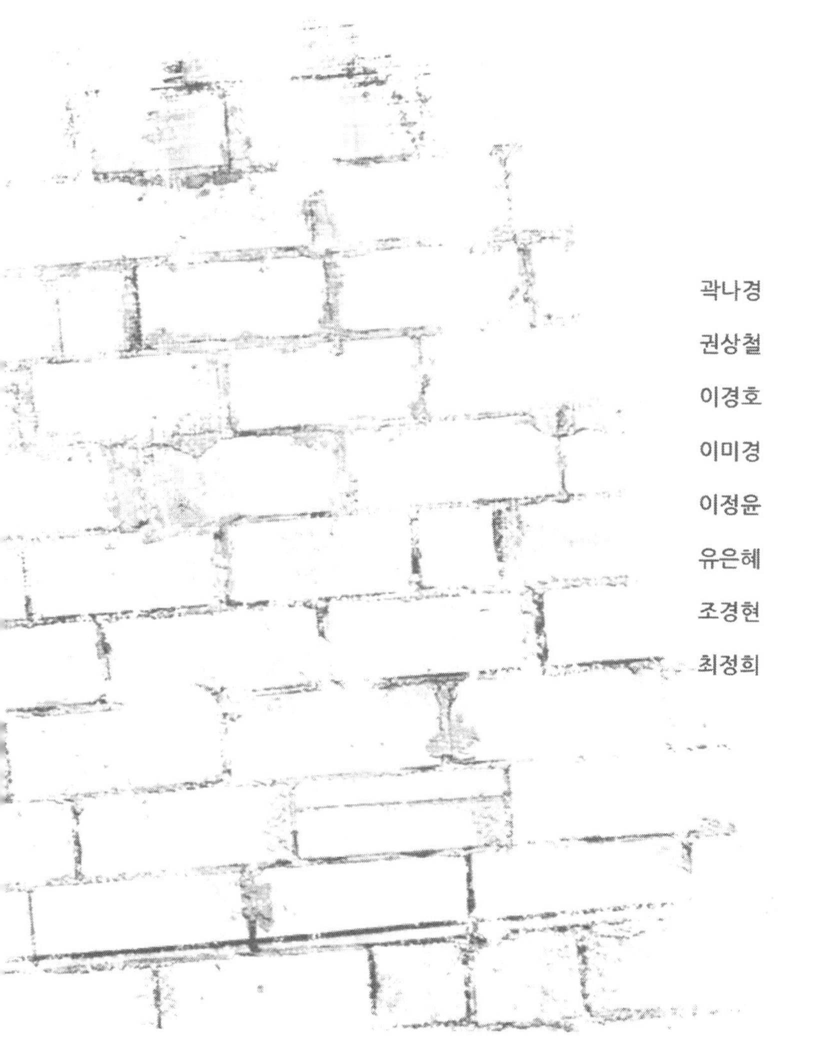

곽나경
권상철
이경호
이미경
이정윤
유은혜
조경현
최정희

펴낸이 유정록 하정혜 배홍연

· 들어가며 ·

'자서전, 어제와 내일을 기록하다'는 노인자서전쓰기 수업을 통한 8인의 삶의 이야기로 2022년 평생학습의 일환인 배움이락 공모사업을 통해 선홍평생교육원에서 실시한 노인자서전쓰기지도사 자격과정을 진행하면서 이루어졌다. 앞서 2020년 2월, 16인의 삶의 이야기로 '어제, 그리고 내일을 위한 발자국'이 출간되었고, 이번 편은 또 다른 8인의 진솔한 삶의 이야기이다.

글쓰기를 좋아하는 사람도 막상 나의 이야기를 써보라고 하면 뭐부터 써야하지? 이런 이야기를 해도 되나? 이 글을 가족들이 보면 뭐라고 할까? 내가 과연 잘 할 수 있을까? 등의 고민과 두려움이 앞선다. 나의 삶의 이야기를 적어 내려가면서 수많은 내적 갈등을 겪었으리라 짐작해 볼 수 있다. 이러한 어려움을 알기에 엮은이 3인은 자서전쓰기 과정과 이 책을 펴기까지의 안내자 역할에 매진하며 두 번째 결실에 이르렀다. 참여자들 대부분이 자신의 경험에서 나온 이야기를 표현하는 것 자체를 어려워했다.

퇴근 시간 도시의 차들이 밀리기 시작할 때쯤 노인자서전 쓰기 강의를 듣기 위해 선홍평생교육원을 찾았다. 매번 가는 날마다 내적인 갈등을 느끼며 교육원에 도착했다. 학습자님들과 서로 인사를 하고 교육을 받으며 한 사람 한 사람 이야기를 들으며 '그땐 그랬지?' 하며 그분들의 삶에 스며들었다. 그분들의 이야기를 들으며 나의 추억 속으로 들어갔다. - 이경호

돌아가신 조부모님, 부모님께서 일제 강점기, 한국전쟁 이후 고생하시면서도 자식들을 위해 헌신하신 것을 기억하고 기록으로 남기고 싶다. 나의 인생을 되돌아보고 나의 장·단점을 정리하고 어제보다 오늘이, 오늘보다 내일이 나은 삶을 영위하고 용기를 갖고 도전하는 삶에 도움이 될 것 같다. - 유은혜

늘 친구들과 이야기하며 이랬고 저랬고 이야기 하던 부분을 글로 옮겨 적어보며 가슴 속 깊은 곳에 눌러 놓았던 부분을 표현할 수 있었고 내 삶을 이해할 수 있었다. - 조경현

회기별 주제에 대한 글 쓴 내용을 발표하는 과정에서 자신이 적은 글을 발표해야 하는데 부끄럽고 자신이 없어 설명을 하려고 하거나 잘 쓰지 못한 것에 대한 변명을 하려고 하였다.

이것은 자서전을 써본 경험이 없는 참여자의 어려움을 그대로 보여주는 것으로, 서로가 당면한 어려움을 공감하고, 응원을 통해 서로의 성장을 돕도록 지지하였다. 또한 자서전쓰기의 방법적인 측면을 강조하면서 스스로가 교육의 주체임을 인식하도록 하였다.

마지막으로 이러한 과정을 통해 자신의 이야기에 집중함으로 삶에 대한 시야가 넓어지고 긍정적인 사고가 확장되었으면 하는 바람도 담았다.

8인의 작가에게 존경과 진심의 박수를 보낸다.

2024년 01월 30일

유정록, 하정혜, 배홍연

· 차　례 ·

2장. 삶을 기록하는 자기표현 방법

1장. 기록하다

행복의 원칙은 첫째 어떤 일을 할 것,
둘째 어떤 사람을 사랑할 것,
셋째 어떤 일에 희망을 가질 것이다.

- 칸트

시간과 벗되어 걸어온 길

- 곽나경*)

✣

강물에 멱을 감다

어머니 그리고 두 오빠와 나, 나의 가족이다. 어린 시절이 머릿속에 선명하게 남아있는 것이 별로 없다. 아버지와의 기억이 없어서일까 즐겁고 행복했다는 것 보다는 어찌어찌 지내온 것 같은 느낌! 일찍 돌아가신 아버지의 부재가 내게 남긴 건 기억의 부재이다.

부모님이 결혼을 하고 조치원(지금의 세종시)에서 살림을 시작했다고 한다. 나를 낳았을 때 아들이 아니라서 섭섭해 했다는 엄마의 말을 들었던 기억이 있다.

아버지는 한량이었다는 어머니 말씀, 할아버지가 서당에서 훈

*) 1964년 8월 출생

장을 하셨다고 했다. 그래서인지 제대로 글공부도 못했고 일도 할 줄 몰라서 살림은 늘 궁핍했다고 한다.

내 나이 3살 때 기차를 타고 충주에서도 조금 외진 친척 과 수원으로 이사를 하고 산지 3년 만에 아버지는 사고로 돌아가셨다. 지금 생각하면 교통사고 같기도 하고 정확히 밝혀진 사고의 원인도 모른 채 그렇게 우리 곁을 떠났다.

마지막 인사도 없이,

내게 남은 기억은 엄마가 서럽게 울었다는 것.

엄마 울지 말라고 했던 말... 아버지의 부재가 어린 시절의 나의 기억을 낙엽 쓸어내듯 지워버렸나 보다.

그렇게 남겨진 우리 가족의 삶은 녹녹치 않았다. 울 엄마 서른 하고 두 살에 혼자가 되었다. 가냘픈 당신 어깨에 셋이나 되는 자식을 짊어진 채...

지금 생각해도 가슴이 먹먹하고 눈물이 난다.

어찌 살았을까,

안 해본 일이 없이 억척같이 사셨다. 나이가 젊다 보니 유혹이 얼마나 많았을까 주변에서도 안 좋은 소리를 많이 들었을 텐데 그런 모든 것을 견디어 낸 나의 엄마...

가끔 농담을 할 때가 있다 한창 이산가족 찾기를 할 때 '엄마가 우릴 보육원에 보냈다면 우리도 TV에 나와 엄마 찾고 있겠지' 하고 웃는다. 요즘 우리들은 내 삶을 찾아 결혼도 하지 않고 결혼을 해서도 자신의 가치를 찾아 아이도 낳지 않고 낳고도 책임지려는 사람들이 많지 않다.

우리 삶의 가치는 무엇인가? 라는 물음을 던져 본다. 지금은 팔순을 넘어 구순에 가까운 나이에 아직도 뭔가를 하려는 모습이 안쓰러우면서도 당신이 삶을 대하는 경건함에 머리가 숙여진다. 지금 나와 함께 살고 계신다. 그렇게 함께 있다. 잘 해주지도 못한다. 아마 돌아가시면 그 빈자리의 공허함을 메꾸려 한동안 힘들 것이다. 지금에 감사하며 살려 한다.

일찍이 생활전선에 뛰어든 큰 오빠와 선생님들의 도움을 받아 작은오빠와 나는 공부를 했고... 이렇게 사회의 일원이 되어 살아가고 있다. 나에게 가족은 그냥 그 자리에 있는 것, 상처를 주기도 하고 그 상처를 치유해 주기도 하는 것, 행복하다 말하지 않아도 존재만으로도 편한 것,

'그것이 가족이다.' 라고 말하고 싶다.

강의 여정

충주 그리고 서울에서 25년을 살았다. 서울에서 둘째오빠하고 둘이서 지냈다. 대학을 다니던 오빠가 중퇴를 했다. 청주에서 연세대학을 들어갔다. 경사 중에 경사였지만 우리에겐 그렇지 못했다. 돈이 없으니 어쩌겠는가? 어찌어찌 친척의 도움으로 입학은 했지만 그 다음이 없었다. 그렇게 공부를 접고 공무원이 된 오

빠 덕분에 내가 공부할 수 있었다. 학원에 다니면서 검정고시준비와 수능공부를 병행하게 되고 썩 좋은 성적이 아니라 대학진학을 포기했던 것이 생각하면 후회가 된다. 지금 돌이켜보면 우리에게는 인생에 세 번의 기회가 주어진다고 하는데 난 그 첫 번째 기회를 여지없이 놓쳐버린 어리석고 어리석은 삶을 살아버렸다. 열심히 해야 했는데...

26살 결혼을 했다. 오빠에게 짐이 될 수 없다는 복잡한 생각으로 한 것 같다. 다시 시작해야겠다고 한 것이 결혼이다. 그렇게 대구로 왔고 나의 또 다른 삶이 시작되었다. 낯선 환경, 낯선 말투, 호기심보다는 두려움이 먼저였던 것 같다.

남편하고는 좋았다. 성격도 무던하고 사교성도 있고 지금도 그렇다. 물론 잘살고 있다. 코로나로 인해 경제적으로 지금은 힘들지만 아직 잘 버티고 있다. 그렇지만 시댁 식구와의 관계는 나를 다시 힘들게 만들었고 그 관계는 아직도 진행 중이다. 따스한 한 마디가 필요했던 내게 그들은 그렇지 않았고 꿔다놓은 보릿자루 마냥 늘 겉돌기만 했으니... 딸을 낳았다고 섭섭하게 여기시는 시어머니 때문에 상처를 받고 그 딸을 교통사고로 잃고 또 상처를 받고...

나의 대구생활은 슬펐다.

아들을 둘 낳았다. 롤러코스트를 타듯 오르막이 있으면 내리막이 있듯이 내게도 이제 불행 끝 행복 시작이겠지. 좋았다. 무탈

하게 자라주는 두 아들이 든든했고, 가장 역할을 충실히 하는 남편이 있어 돈이 많고 없음을 떠나 삶이 주는 풍요함을 느끼면서 살아가는 나의 모습이 보기 좋았다. 물론 힘든 일도 많았다.

첫째 아들은 지금도 공부중이다. 자신의 삶에 주인공이 되길 바라지만 부모의 바람대로 되어주지는 않나 보다 좀 늦어진다고 세상이 뒤바뀌지는 않으니 그마저도 괜찮다.

둘째는 고등학교 때 등산을 시작했다. 좋은 스승님을 만나 많은 성장을 했다. 클라이밍을 하다 떨어져 혹여 또 잃어버릴까 억장이 무너지는 일도 겪었다. 양쪽 다리가 골절이 되어 한 달 동안 병원신세도 지고 힘겨워하는 아들의 재활을 보는 것도 안쓰러워 돌아서서 울 때도 많았지만 그 일로 인해 아들과 더 돈독해지는 계기가 되기도 한 것 같아 아픔이 주는 위로라고 해야 하나? 지금은 원하는 농사를 지으면서 즐겁게 산다. 힘이 드는데도 좋다고 하니... 좋다.

다들 어려움을 견디어내면서 산다.

나도 그렇다.

우리의 삶은 흐르는 강물 같다는 생각이 든다. 상류의 그 빠른 물살처럼 살기에 바빴고 폭우로 흙탕물이 되기도 하고 잔잔히 흐르기도 하면서 지금 이렇게 강 하구 언저리에서 저 넓을 바다를 향해 나아가고 있다.

✣

강물이 흘러 바위를 만나다

五服(오복): 서경이라는 책 홍범 편에 보면 사람이 바라는 다섯 가지의 복에 대한 구절이 있다.

첫째, 壽(수): 오래 살기를 바라는 것
둘째, 富(부): 부유하고 풍족하게 살기를 바라는 것
셋째, 康寧(강령): 건강하게 살기를 바라는 것
넷째, 攸好德(유호덕): 덕을 좋아하는 것
다섯째, 考終命(고종명): 편안히 일생을 마치기를 바라는 것

사람의 수명은 하늘에 있다고들 한다.

우리가 어찌할 수 없는, 우리의 의지로는 어쩔 수 없는...
재물은 어떤가? 큰 부자는 하늘이 내고 작은 부자는 스스로 노력한 만큼 부를 얻을 수 있다고 한다.

그럼 건강은 어떤가? 유일하게 우리가 책임져야 하는 것, 건강하지 않으면 미래가 없기 때문이다. 지금 우리는 건강하다고 자부할 수 있는지 반문해 본다. 이제 슬슬 건강식품을 먹기 시작한다. 몸이 필요로 하는 에너지가 음식으로는 부족하다고 신호를 보내고 있으니 세월에 장사는 없나 보다.

똑똑하고 잘 생기고 사회에서 한 축을 담당하면서 살았던 오빠가 아프다. 치열하게 살았다. 가족과 떨어져 홀로 모든 것을

버티어낸 요즘 말로 인간승리라고 할 만큼 열정적으로 살던 오빠가 미국 유학을 다녀온 뒤로부터 아프기 시작했다. 다른 가족들은 잘 몰랐는데 엄마는 아셨나보다 자식의 모습에서 몸이 좋지 않다는 것을... 병을 얻은 지 십여 년의 세월이 지났다. 지금 오빠와 가족들의 삶은 긴장의 연속이다. 같이 살지 않다보니 도움이 되지 못하고 마음만 아프다.

어머니는 자식의 아픔에 표현 못할 슬픔을 짊어지고 살고 계시다. 그 모습을 지켜보고 있는 자식의 마음도 아프고 가족 모두 힘들어 한다. 얼마 전 어머니는 노환으로 미루던 서울을 다녀오게 되었다. 모자간의 만남이고 남매의 해후이다. 만남의 기쁨도 잠시 애써 울음을 삼키며 아픈 자식을 보는 어머니를 보면서 내 몸 아픈 것보다 당신 자식의 아픔을 보는 엄마의 심경은 소리 없는 절규가 아니고 무엇이랴... 가만히 잡은 아들의 손을 놓지 못하는 모습, 가슴이 저리다 못해 아리다. 3년 동안 못 본 새 건강은 차도가 없이 나빠지고 있는 것처럼 보였다. 희귀질환이라 아직 약이 없다.

희망을 놓지 않고 옆에서 수발하고 있는 언니 모습이 애처롭게 보였지만 자신의 자리를 지키고 있는 모습이 정말 고마웠다. 아내라는 이름이 아니었다면 할 수 있을까? 모든 것을 체념하고 그냥 불편한 몸을 받아드리고 살 줄 알았던 오빠가 열심히 운동을 하면서 나을 수 있다는 희망의 끈을 붙잡고 언니와 함께 가는 모습이 아름답다 표현하면 건강한 사람들이 공감 할 수 있을는지...

건강을 잃으면 미래가 없다는 것을 우리는 알고 있다. 건강은 늘 그 자리에 있지 않다. 스스로 지켜야 한다는 것을 알 뿐이다. 혹 건강하지 않다면 삶의 끈을 놓지 않고 희망을 안고 살기를 바란다.

나도 건강을 지키기 위해 운동을 해야 할 것 같다.

✣

강물이 굽이굽이 휘돌아 흐르다

세월은 흐른다. 모래시계처럼...

결혼한 지 2년 몇 시간의 진통 끝에 예쁜 딸을 낳았다. 회복실에 처음 본 건 남편이 아닌 시어머니였다. 첫 딸을 낳아 섭섭하시겠다는 나의 말에 아무 말 없이 고개를 돌리시는 모습을 보며 섭섭하다는 표현을 그렇게 하셨다. 괜찮다, 애썼다는 말이 딸은 살림 밑천 이라는데 다음에 아들 낳으면 되지, 그 말이 그리 힘들었을까...

서글퍼졌다.

지금 생각해도 눈물이 난다. 그때 그 마음이 되어 저 밑바닥에 웅크리고 있던 미움, 분노, 설움 그 모든 뒤 섞인 감정들이 고개를 들고 스멀스멀 올라오기 시작했다.

그때부터였나 보다. 시어머니가 밉기 시작한 것이...

식구가 늘어서 남편 혼자 꾸려가기엔 살림이 팍팍했다. 아이를 데리고 가게를 시작했다. 남편은 친구와 함께 영업을 시작했다. 그즈음 우리나라 경제가 좋아지는 시기였다. 88올림픽이 끝났고 여행 자유화가 되어 수입품이 밀물처럼 들어오는 때라 주방용품은 경기가 좋았다. 이제 겨우 3살 된 아이를 데리고 장사를 하는 것은 무리가 있었다. 밖으로 나가려는 아이와 말려야 하는 나, 조금 신경을 안 쓰면 찾아다니기 바빴고 나름 정신없을 때이다.

시어머니는 '네 자식 봐주고 밥 못 얻어먹겠다! 하니 어쩔 수 없이 감당해야 하는 나의 몫이었다. 고부간의 갈등은 그렇게 쌓여가나 보다. 그렇게 장사를 했고 잠깐 사이에 교통사고가 났고 아이를 내 곁에서 떠나보냈다. 어른들이 자식은 가슴에 묻는다고 하지만 가슴에 묻기 전에 뻥 뚫려버려 삶의 의미조차 사라져 버린 마음...

그냥 공중에 떠 있는 느낌!

갈피를 잡을 수 없어 소리 내어 통곡을 해도 어찌 할 수 없는 허전함, 죄책감... 허허벌판에 홀로 남겨진 마음, 지금도 치유되지 않은 나의 마음은 삶이 끝날 때까지 진행형이다.

이런 내게 천사가 있었다. 벼랑 끝에서 나를 잡아준 아이! 가게 앞 노전에서 장사하던 할머니의 손자, 돌이 지나지 않은 손자를 며느리가 데리고 오면 평소 관심이 없던 그 아이를 안고 보듬으면서 뻥 뚫린 가슴에 조금씩, 조금씩 새 살이 돋아났기 시작했고 견디어 낼 수 있는 힘을 얻을 수 있었다.

지금쯤 할머니는 돌아가셨겠지. 연세가 많으셨으니까, 그 아이가 이젠 어른이 되어 가정을 꾸려서 예쁜 아이를 낳아 기르고 있겠지. 보고 싶다. 그리고 그때 정말 '고마웠다.' 말하고 싶다. 네겐 천사였던 그 아이에게

우리들은 살아가면서 많은 아픔을 겪는다. 그리고 그 아픔을 이겨 낼 수 있는 힘 또한 얻는다. 우리에겐 치유의 힘이 있다는 것을 알기에 오늘도 산다.

남편, 그리고 아들과 함께 잘 지내고 있다.

흐르는 강이 폭포를 그리워하다.

사랑을 해 본적이 있나? 내게 묻는다.
내 삶에 반문해 본다. 그냥저냥 살아온 것 같다.
유행가 가사처럼...

안 보면 보고 싶고 보면 좋고, 가슴 절절히 그리워할 사랑을 해 보고 싶다. 그냥 무덤덤하게 산 것 같다. 남편과 사귈 때 어떠했는지 돌이켜본다. 그를 그렇게 못 잊어하고 그리워했던가? 기차 혹은 버스를 타고 대구에 내려오면서도 애틋함, 설렘이 내게 있었나!

그때도 또 다른 도피처로 여겼던 것 아닐까? 세월이 흘러 무딘 감정이 되어 사랑하는 마음을 잊어버리게 한건 아닌지 모르지만, 아니었던 것 같다. 결혼할 때가 되어 그와 결혼을 했고 그냥 그 분위기에 휩쓸려 같은 배를 타고 지금 여기에 머무르고 있는 나를 보게 된다.

'이렇게 무디어진 나의 마음은 무의식에 자리 잡은 불안 때문인가? 나를 떠나 버리면 어쩌지... 나를 싫어하면 어쩌지... 헤어지면 어쩌지... 하는 방어기제가 마음 깊은 곳에 자리 잡아 사랑하는 마음의 감정을 오롯이 끄집어내지 못한 건 아닌가?' 라는 생각! 아님 어릴 적 기억에 없는 헤어짐의 아픔을 혹독하게 치렀다고 밖에는... 나를 떠날까 봐 내가 사랑하는 모든 이가 내 곁을 한 순간에 사라질까봐 지금도 그 두려움이 있는 듯하다.

어릴 적 기억나지 않는 아버지와의 이별, 소꿉친구와의 이별, 그리고 딸과의 이별, 소소한 많은 이별이 사랑하는 마음을 미리 닫아버려 무딘 감정으로 사는 것에 익숙해져 버렸나보다 자식에게 주는 무한의 사랑이 아닌 다른 사랑을 해 보고 싶다.

그냥 보고만 있어도 좋은 사람, 만날 수 있을까?

✣

강물이 흘러 흘러 바다에 다다르다

결혼하기 2년 전 고모를 찾았다는 얘기를 처음 들었다. 정말 기분이 좋았다. 고모라고 불러본 적이 없었는데 이제 고모가 있다는 것이 그냥 좋았다. 그때 마음은 어린아이 같은 그런 설렘이었던 것 같다. 고모를 만나러 간 날 청첩장을 들고 갔었다. 썩 반가워하는 모습이 아니라 조금은 당황도 하고 실망도 했다. 마음은 언짢았다.

나보다 먼저 만났던 조카들이 실망을 많이 시켰나보다. 그래서 나를 보았을 때도 그런 기분이 아니었을까? 혼자 버려졌다는, 아니 나를 버렸다는 그 마음으로 오십 평생을 살다 만난 가족! 그 마음은 어땠을지 상상이 되지 않는다. 고모가 처음 고향을 찾았을 때 반갑게 맞아 주었는지, 고모가 사는 곳에 찾아가서 마음을 다치게 하지는 않았는지 이런저런 궁금증이 많았지만 물어보지는 못했다. 고모는 어릴 때 가족과 헤어졌다. 아버지 형제는 6남매이다. 그 중에 아버지는 넷째, 고모는 막내였다.

19세기말 20세기 초 격동기에 경북에서 태어나신 할아버지는 구한말 신학문이 아닌 한문을 공부하셨기에 과거도 볼 수 없었고 겨우 할 수 있었던 건 서당에서 한자를 가르치는 훈장만을 할 수 없었기에 약간의 농토로는 궁핍 할 수밖에 없었고 부족한 살림살이에 마음고생이 많았다고 한다. 다른 형제들도 나름 고생이 많았다고 한다. 그래서 고모도 어쩔 수 없이 대구에 양녀로 갔고 그것이 나중에 가족과 연락이 끊어진 계기가 되었다.

고모는 고생을 참 많이 했다고 한다. 말이 양녀지 지금으로 말하면 가정부라고 한다. 많이 맞고 도망가고 또 맞고 하는 과정이 반복되다 다른 곳으로 도망가서 어린 나이에 어찌어찌 지금껏 살았으니 얼마나 힘들었을지... 그 긴 세월을 오롯이 결혼도 하지 않고 혼자서 당신의 삶을 견디어내야 했던 것이 고모의 삶이였다.

이런 고모를 아버지가 찾으려 애를 많이 쓰셨다고 한다.
유감스럽게도 찾지 못하고 돌아가셨다. 어머니를 통해 아버지의 마음을 전해 들어서인지 고모에게 마음이 많이 쓰였다. 다른 곳에 살아 일 년에 한두 번 정도 보았지만, 안부도 묻고 연락도 하면서 혼자가 아니라 당신의 마지막을 봐줄 가족이 있다는 편안함은 마음에 담고 살았겠다. 생각해 본다.

같은 세대를 살고 있는 어머니와 공감대가 맞아 그나마 외로움을 덜어내지 않았을까... 내게 당신의 마지막을 부탁하면서도 조금 더 살고 싶다는 삶의 의지는 누구보다도 강했던 것 같다. 개똥밭에 굴러도 이승이 낫다는 말을 떠 올렸으니 말이다. 그렇게 강물이 흐르듯 시간이 흘러 노환과 치매로 가기 싫은 요양병원에서 생을 마감하셨다.

병원의 연락을 받고 고모를 만났을 때는 기면증으로 겨우 호흡만 하고 있었다. 생을 마감할 때 끝까지 살아있는 기관은 청각이라 한다. 그래서 고모에게 마지막 인사를 했다. 절에 모셔 달라는 말, 장례 잘 치러드린다는 말, 사랑한다는 말, 편안히 쉬라는 말 등 그것이 내가 유일하게 고모에게 하는 말이었다.

나의 말을 듣고 싶었던지 고모를 보고 온 몇 시간 후에 돌아가셨다는 연락을 받았다. 그렇게 고모를 보내드렸고 기일이 되면 절에서 나마 제사를 모셔드리는 것으로 그나마 위안을 삼는다.

누구에게나 삶은 소중하다.
강물이 흐르듯 우린 격정의 세월을 지금 살아가고 있다.
내게 주어진 삶을 사랑하려 한다.

그래도 행복 했었지

- 권상철*)

✣

가족과 생활

현대사에 있어 가장 혼란했던 시기 1960년 대구의 어느 빈민가 신암동 지금의 파티마병원 뒤편 판자촌에서 가부장적인 아버지 유달리 정이 많으신 어머니 사이에서 육남매의 장남으로 태어났다. 위로는 누님 두 분이 있었으며 어려운 환경 속에서도 아들이라는 시대적 영향 덕에 그나마 혜택을 받고 자랐던 것 같다.

당시에 어머니는 아들을 낳지 못해서 할머니 아니 심지어는 큰어머니를 비롯해 시댁식구 모두에게 타박을 많이 받으신 모양이었다. 나중에 안 일이지만 당시만 해도 귀했던 돌 사진이

---

*) 1961년 4월 출생

큰집, 작은집 등 친척집안 가족 앨범에 모두 있는 것을 보고 어머니의 고충을 미루어 짐작해 보곤 한다. 그럼에도 어머니의 짧은 생으로 인하여 유년기는 남들처럼 모정을 느끼지 못하고 가부장적인 아버지 밑에서 어려운 시기를 보내야 했다.

결혼을 하고나서 나의 일을 시작했으나 시작과 결정을 주위 환경에 의하여 갑자기 하게 되어 많은 시행착오와 실수가 뒤따랐다. 가고자 하는 길보다 경제적인 현실에 맞추어 소극적인 자세로 하다 보니 정작 하려던 일을 하지 못하고 현실에 안주하고 창의적으로 이끌어 나가지 못한 점이 가장 큰 아쉬움으로 남는다. 그나마 일을 하게 되면서 알찬경험을 축척하게 되었으나 조금씩 자리를 잡아갈 즈음에 국가부도 위기(IMF)라는 전대미문의 상황으로 인하여 평생 할 줄만 알았던 인쇄(출판)일을 그만두게 되었다.

훗날 나의 두 딸들에게 남기고 싶은 바람이 있다면 항상 미래지향적인 도전적이고 창의적인 사고로 살아가기를 기대해 본다.

나의 일 나의 길

어려운 환경 속에서 살았기에 안정된 직장과 여유로운 삶이 나의 최종 목표였다. 당시의 상황은 늘 부족하고 모자람의 연속이었기에 오직 잘 살아야 한다는 생각만으로 변하지 않고 살았다.

고등교육을 받지 못하고 이른 나이에 사회에 진출하면서 그나마 아버지의 생각으로 조금이라도 도움이 될 수 있다는 인쇄 쪽으로 일을 배우게 되었다. 당시로는 섬유, 철공 쪽으로 인력수요가 많았으나 너무 험하고 거친 일이라 그쪽보다는 이 일이 조금 더 배울게 있다고 말씀 하셨던 기억이 난다.

시대가 그러했듯이 오직 잘 살아야 한다는 목표 하나만 가지고 우직하게 일을 했다. 나름 열의를 가지고 열심히 했으나 만족한 결과는 얻지 못하고 그만 두게 되었지만 항상 아쉬움이 남는 것은 그 일에 대한 애정과 아쉬움은 늘 남아 있는듯하다.

경제위기로 인하여 평생 할 줄만 알았던 일을 그만 두게 되어 방황도 하였지만 그간 쌓아온 인적관계로 인하여 다른 길을 찾을 수 있었던 건 조그만 위안이다.

✣

세월이 지나다 보니

너무도 짧은 생을 사시고 떠나신 어머니 아마도 나의 청년기까지만 이라도 함께 하셨다면 내 생이 많이 달라지지 않았을 까라는 막연한 아쉬움이 남지만 길지 않은 시간을 함께한 순간들은 늘 가슴속에 담겨져 있다.

철없던 시절 아무도 모르게 혼자서 속앓이를 했던 적이 있었으니 그 일이 이성에 눈을 뜨게 된 계기가 되었는지 모른다. 유달리 정에 약하고 어머니의 정이 그리워서 인지는 몰라도 살갑고 다정스런 누이 같은 편안한 상대가 나의 이상형이었다.

하고 싶은 것도 많고 갖고 싶은 것도 많지만 음악을 듣고 노래를 부르는 것을 가장 좋아 했기에 큰 딸아이 직장 보너스로 받은 홈보이스(블루투스)는 지금도 나의 가장 소중한 애장품이다. 도시에서만 살아서 일까?

늘 시골을 동경하고 시골 동창이 있는 친구들이 부러워서 중년이 되어서 마련한 조그만 전원주택은 내 삶의 가장 중요한 활력소 역할이 되고 있다.

한때는 시도 때도 없이 괴롭힘을 주던 직장 선배가 죽도록 미워서 크게 싸웠던 적이 있었다. 지나고 보니 지금 그 선배는 어디서 어떻게 사는지 궁금해지는 것은 세월이 가면 미운정도 그리움으로 변할 수 있는 것 인가 보다.

지금도 늘 아쉬움이 남는 것은 남들처럼 평범한 학창시절이 작았던 관계로 그 시절의 추억을 더듬을 때면 피하곤 했지만 늦게라도 만학도의 추억을 만들 수 있었기에 자존감을 갖게 되었다.

사는 게 힘들고 할 수 있는 것이 없었던 때를 생각하면 배부른 투정이랄 수 있겠지만 무언가 늘 부족 하다는 생각이 들 때면 슬프고 아쉬움이 남는다.

젊은 날의 깨알 같은 추억이 많지 않았기 때문일까?

✣

어느 날 갑자기 찾아온

다른 건 몰라도 부모님의 좋은 유전자를 물려받은 것 같다. 어릴 적부터 잔병치레는 하지 않는 건강 체질이었다. 다만 환경이 나빠서 조은 음식을 섭취하지 못해서 근력이 조금 약했을 뿐 성장기에 편식(고기를 싫어해서)을 하여 체구가 작았던 것 같다. 잘 하지는 못해도 운동을 좋아해서 여러 가지 운동을 경험한 탓에 어디에 가도 함께 할 수 있어서 단체 활동을 많이 접할 수 있었다.

그러나 알 수 없는 것이 사람의 일인가 어느 날 갑자기 찾아온 뇌출혈로 인하여 1년이라는 세월을 내생의 가장 힘든 시간을 보내고 나서야 건강의 소중함을 뼈저리게 느끼게 되었다.

새 삶을 살게 해준 박재찬 교수님께 투정을 부리다가 들은 말씀은 아직도 귓가에 쟁쟁하다. 당신은 지금껏 건강했기 때문에 어려운 수술을 이기고 살 수 있었다고…

그럼에도 이후에 생활 패턴이 오히려 나빠져서 몸에 살이 불어나고 체력이 많이 떨어졌다. 너무 오랜 기간 운동을 하지 않아서 여러 가지 성인병의 초기 단계까지 오고 말았다.

부모님께 물려받은 신체는 그리 나쁘진 않은데 작은 눈을 가져서 일까 큰 눈을 가진 사람은 늘 동경의 대상이었다.

인간은 환경의 동물이라 했나 40대 까지만 해도 나름 준수한 스타일 이라고 자부하고 살았는데 50대가 되면서 세파를 겪고 나서 노화와 더불어 내 모습도 많이 달라졌다. 나이가 들면서 외모보다는 긍정적 마인드로 즐겁게 건강한 삶을 살려고 노력해 본다.

역경 그리고 극복 삶의 애환

어려서 어머님을 여의고 홀아버지 밑에서 4남매와 힘들게 그래도 열심히 살아온 덕에 조금씩 기반이 잡혀 갈 때에 IMF 라는 국가적 경제위기로 그나마 이루어 놓은 모든 것이 일순간에 무너지고 깊은 수렁에 빠져서 삶에 대한 애착도 사라져 가고 있었다.

그러나 시련은 아픔도 주지만 더욱 더 정신을 강하게 만들어 주는 채찍도 함께 했는가 보다.

생각지도 못한 일을 하고 이것저것 가리지 않고 닥치는 대로 앞만 보고 살다보니 세월이 지나면서 하나 둘씩 조금씩 예전의 일상으로 돌아 올 수 있었다.

모든 것이 순조롭게 돌아가고 아이들도 자라서 대학, 고등학교로 진학 하면서 이제는 평탄하고 행복한 가정이 될 수 있다고 믿고 싶었는데 그것만큼은 자신했었던 건강에 이상이 생겼다. 지주막하출혈 이라는 생각지도 못하는 질환으로 내 인생은 여기까지 인줄만 알았다.

일 년이란 투병 생활 중에 좌절하고 삶에 대한 회의도 느끼면서 왜 살아야 하는지 우울증이 오기도 했다.

모든 게 싫었다.

그래도 여기에서 주저 않기에는 지금까지 살아온 세월이 너무 억울하고 포기 할 수 없었다. 사랑하는 가족과 늘 격려하고 도와준 지인들이 있었기에 다시 한 번 일어 설 수 있게 해준 에너지가 될 수 있었다.

두 번, 세 번, 닥친 인생의 기로에서 잃은 것도 많지만 어쩌면 지금에 와서는 내 삶에 가장 기름진 토양이 될 수 있었으리라.

✣

친구와 우정

마음이 가는 사람이 있으면 먼저 다가서고 손을 내 밀지만 시간이 지나면서 사고관의 괴리가 생기면 잘 돌아서는 스타일 인지라 적지 않은 교류에도 딱히 친구라고 자신하는 사람은 적은 편이다.

무엇이던 주고 싶고 편하게 말할 수 있는 친구가 있었으나 불행히도 모두가 짧은 생을 살다 갔다.

돌이켜 보면 모두가 힘들고 슬플 때 손을 잡고 등을 토닥거려 주던 친구들인데...

그들로 인하여 나 자신은 삶에 희망을 얻고 생에 활력이 생길 수 있었다. 그렇게 주관이 뚜렷하고 활력이 넘치는 사람이지만 자신을 제어하지 못 하였기에 남들보다 일찍 세상을 등지고 말았다.

시간은 인간관계도 어렵게 만들어서 하나 둘씩 돌아서게 만들었다. 모두가 나 자신의 부족함이라 생각하며 성찰하고 다독여서 남은 이들과 신의를 쌓아 가면서 향기로운 생을 살고 싶은 마음뿐이다.

즐거움과 관심사

어려운 환경으로 인하여 남들처럼 즐거웠던 학창 시절이 짧았던 지라 배움의 갈증으로 명사의 강의를 즐겨 듣는 걸 좋아했다. 특히 한국사에 관심이 많았고 세계사 등도 흥미 있는 부분의 하나였다.

사실 책을 읽는 것은 썩 좋아하지 않았으나 유튜브 혹은, 여러 가지 이유로 교육을 가게 되면 초빙 강사들의 강의를 누구보다도 열심히 듣는 편이다. 최근에 들어서 방송대 후배님 (사실 말은 후배지만 방송대 특성상 한참 연장자 한양대 69학번)의 시집을 가장 편하게 읽었던 적이 있다.

정갈하고 세련된 글 솜씨는 아니지만 그냥 편하게 다가 설 수 있는 그런 형태에 푸근한 느낌을 주는 시집 이었다. 짧게나마 국문학을 공부했으나 내가 생각했던 영역보다 너무나 범위가 넓어서 제대로 공부를 하지 못해서 하고 싶었던 글쓰기를 잘 습득하지 못했다.

쓰는 것 보다는 듣는 것 음악을 좋아해서 10대부터 지금에 이르기 까지 팝, 발라드풍의 가요처럼 서정적이고 감미로운 곡을 좋아하게 되었다.

나에게 음악은 혼자서도 즐길 수 있고 들을 때마다 세상의 시름을 달랠 수 있는 보석 같은 존재이다. 특히 존 덴버, 폴 싸이먼, 조영남, 김광석 등 싱어 송 라이터 뮤지션의 곡들은 내 삶의 심신을 달래주는 향기로운 꽃과도 같다. 최근에 와서는 호피폴라의 음악에 심취 되어서 한동안 빠져 있었던 적이 있다.

✣

살다보니

60여년 세월을 살아오면서 행복한 시간도 있었지만 힘들었던 시기도 많았던 것 같다. 무엇보다 건강이 나빠져 삶에 희망이 사라져 갈 때가 가장 힘들고 괴로웠었다. 어릴 적 어머니와의 이별이 고난의 시작이었다면 일찍 가장으로서의 삶의 무게는 평범한 일상을 할 수 없었던 시간이 되고 말았다.

반려자를 만나서 남들처럼 행복하게 살줄만 알았는데 또 다른 가족들과의 문제로 방황하고 아파했던 적이 많았다. 그도 그럴 것이 홀시아버지와 동생 삼남매들과 함께 살아야 했기에 여러 가지로 어려움이 많았다. 지나고 보니 그때에 아내의 인고의 노력이 없었으면 아마도 지금의 이 시간도 없지 않았을까... 건강이 나빠져서 힘들고 괴로워할 때 용기와 희망을 주고 만학도의 길을 갈 수 있도록 문을 열어준 동반자가 있었기에 새로운 삶의 기폭제가 될 수 있었다.

세월이 약이라는 유행가 가사처럼 이제는 굴곡 없고 평범한 삶이 되었으면 하는 바람이다.

✣

나의 사고 나의 가치관

인간은 누구나 자신만의 사고와 눈높이가 있듯이 나 또한 나만의 지향 하는 가치관이 있다면 그것은 사람과 사람과의 소통이 아닐까 생각한다.

같은 길을 가고 있는 동반자도 가고자 하는 방식과 도달 하고자 하는 곳이 다를 수 있기 때문에 늘 대화하고 견해를 좁혀가면서 살 수 있어야 슬기롭고 아름다운 동행이 될 수 있지 않을까.

시간이 가면 갈수록 이 가치관은 더 소중한 결론으로 다가 갈 것이라 생각한다.

때로는 가치관의 괴리로 인하여 관계가 무너지고 다툼도 생기지만 소통하고 함께 할 수 있는 이들이 있기에 행복을 느낄 수 있다.

나이가 들수록 신앙생활에 대한 관심도가 높아지는 것은 배려하고 버려야 하는 것이 많기에 신앙생활을 통해서 배우고 익혀서 정의로운 삶을 추구하며 살아가려 한다.

✣

베푸는 행복을 누리며 살기를

사랑하는 나의 딸들아!

지금까지 살아오면서 내가 아닌 누구를 위하여 베푸는 삶을 살지 못한 회한과 아쉬움을 나의 딸들은 누리면서 살아가기를 소망하면서 주위를 돌아보고 손을 내밀어 함께 웃으면서 살 수 있는 여유를 가지고 살아가기를 소망한다.

물질적인 나눔도 방법이 될 수 있지만 정신적인 나눔을 할 수 있으면 그보다 더 좋은 배품은 없지 않을까.

힘들고 외로울 때 함께하여 어루만져 줄 수 있는 삶을 살아가기를 기원하면서 늘 긍정적인 향기로운 인생을 살게 되길 바라며 마음뿐이고 메마른 삶을 살아온 부모로써의 아쉬움을 달래주기를 부탁해보마.

추억 그리고 기억

- 이경호*)

기억저편 칠성교를 보면 생각나는 아버지

"가자, 가자"
"싫어, 싫어"
"아버지가 미워 죽겠어"
"니 안 따라오면 내한테 죽는데이"

중학교 2학년 질풍노도의 사춘기 가득한 시절이었다. 아버지는 얼 그리하게 술을 드시고 와서 며칠 전에 구매한 자신의 바지를 교환하러 가자고 칠성시장에 가자고 한다. 술 취한 아버지도 싫었지만 같이 동행해서 어디 가는 것도 부끄러운 사춘기였다.

*) 1974년 3월 출생

아버지의 윽박 소리에 볼멘소리로 가기 싫다고 말했지만 통 하지가 않았다.

어쩔 수 없이 울며 겨자 먹기로 따라나섰다. 택시를 타고 칠성시장으로 가자고 기사님께 말하고 신도극장(1988년도)쯤 왔을 때 아버지께서 택시비가 없단다. 나보고 어쩌라고...

중2 나는 아버지만 보고 택시를 탔는데 어쩌라는 건지?

아버지의 타원형 지갑에 지폐라고는 한 장도 없고 버스토큰만 가득 들어있다. 아버지는 나 몰라라 하시며 잠들었고 나는 택시 기사님께 지금 택시비가 없으니 버스토큰으로 드려도 되냐고 여쭤보자 술 취한 아버지와 그의 딸에 동정심이 들었는지 가능하다고 했다. 그 당시 성인 버스비 120원, 학생 60원, 택시비 기본 600원이였다. 택시비가 1,400원 나와서 버스토큰 14개를 드리려고 하자 15개 달라고 한다. '이런 나쁜 놈' 마음의 소리일 뿐 내릴 때 드리려고 15개 손에 쥐고 있는데 칠성시장 칠성교 다리도 건너지 않고 내리라고 하셨다.

아버지를 깨워 택시에 내려서 칠성교를 건너는데 1월의 한겨울 오후 4시에 신천에서 불어오는 바람은 매서웠다. 아버지는 얼마나 추웠으면 자신의 잠바 뒤에 달린 모자를 꼭꼭 눌러쓰고 앞만 보고 다리를 건너고 있는 것이다. 뒤돌아보지 않은 채 바람을 조금이라도 덜 맞으려는 마음으로 걸음까지 재촉하며 뒤에 딸이 따라오던지 말든지 마냥 열심히 걸을 뿐이었다. 그런 아버지를 보는 나는 아버지가 야속했다. 야속함보다 더 큰 것은 부끄러움이다.

대구 천지 나를 아는 사람이 얼마나 많겠냐마는 혹시나 나를 아는 사람과 마주칠까봐 조마조마했고 다리 위 신호 받고 있는 차들 속에 사람들이 나만 바라보는 것 같았다.

열심히 빠르게 걸으려고 해도 바람의 저항으로 앞으로 간다기 보다 옆으로 간다는 표현이 맞을 것이다. 눈물인지 콧물인지 흐르고 바지든 검은 봉다리는 바람에 찢겨 날리는 소리가 태풍 소리마냥 크게 들렸다. 장갑도 끼지 않은 손으로 검은 봉다리에 든 바지가 흐를까봐 꼭 쥐고 걸었다. 아버지는 내가 따라오는지 가는지 돌아보지도 않은 채 옷깃만 여미며 걸으셨다.

옷 가게 도착 후 구매한 바지를 교환하면서 눈길은 더 좋은 바지로 향하고 있다. '지갑에 돈도 없으면서'… 나는 내 아버지가 아닌 것처럼 멀리 떨어져 딴청을 피우며 슬쩍슬쩍 아버지를 살폈다. 옷 가게 주인과 실랑이를 벌인다. 구매한 바지 가격으로 더 좋은 바지와 교환하자고 하니 주인이 어이없어한다.

나 역시 어이없다.

'어이없는 가격 다운이라니, 내가 사장이라도 그리는 못하겠네.' 술 취한 목소리는 왜 그리 큰지… 쥐구멍이라도 내가 들어갈 수만 있음 들어갔으면 좋겠다는 마음뿐이었다.

옷 가게 사장님이 나를 불렀다. "학생! 학생 아부지가 이래 생떼를 부리는데 우야면 좋겠노?"

'그걸 나한테 물어보면 나도 어쩔?' 속마음은 이래 말하고 싶었지만 그럴 수 없기에 열심히 머리를 굴렸다. "그럼 전화번호랑 주소 적어드리고 갈 테니 내일 부족한 금액은 제가 갖다 드릴게요." 빨리 해결하고 그 자리를 떠나고 싶은 마음뿐 이었다. 옷 가게 사장님도 안 되겠는지 그렇게 하라고 하셨다.

바꾼 바지를 검은 비닐 봉다리에 얼른 넣어 이번에는 내가 아버지를 보지 않은 채 앞만 보고 걸었다.

버스정류장에서 '우리 집 가는 버스야, 버스야 빨리 와 빨리 와.'라고 해도 버스는 도통 소식이 없다. 20분쯤 지났을까? 그 당시 30번 버스 번호판이 왜 그리 반가운지, 버스에 올라타고 뒤를 돌아보니 아버지가 타지 않았다. 그리고 버스는 출발한다. 순간 나의 마음은 복잡했다.

버리고 가? 아님 내려?

그 당시는 버스에 하차 벨이 없을 때라 내린다는 의사표시를 해야 했다. 모기만한 소리로 "아저씨 문 좀 열어 주이소?" 기사는 못 듣고 출발을 한다.

'어떡하지? 에라 모르겠다. 그냥 가자?'하고 가는데...

'헉! 아버지 지갑을 내가 갖고 있다.'

'진짜 울고 싶다.' 결국 한 정거장만 가서 내렸다.

다시 걸어야 했다.

어디를? 추운 칠성교 다리를 건너야 했다. 다리를 건너면서 마음속으로 내가 알고 있는 욕은 다 했을 것 같다.

다시 버스정류소에 가니 벤치에 덩그러니 앉아 있는 아버지의 모습이 노숙자 같았다. '아무 생각 말고 일단 자리를 뜨자.' 싶어 아버지를 보며

"내가 버린 게 아니라 아버지가 따라오지 않았데이!" 하고 말하자 크게 웃으면서

"한 참 찾았네. 어데 갔더노?"

"그냥 저기"

나를 찾았다는 사람이 분명 눈으로만 찾았을 것이다. 끝까지 야속한 마음 들게 하는 아버지였지만…

칠성교를 지날 때마다 생각나는 아버지.

이제는 아버지 그대 이름만 불러볼 뿐이다.

✣

내 심장 소리는 시계분침소리

지금 이 자리에 있을 수 있기에 감사한 마음으로 글을 써 본다.

어렸을 때 심장병으로 힘들어 하던 나를 부모님이 지극정성 사랑으로 돌봐 주셨다.

바로 누워서 잘 수 없었던 나를 어머니는 밤마다 업어서 '소록소록' 잠든 소리에 깨지 않게 켜켜이 쌓은 이불 더미 위로 앉혀서 재웠다.

동산병원 쫓아다니며 숨쉬기만이라도 편하게 시켜주려고 노력해주시던 부모님 생각에 눈시울이 붉어진다. 가쁜 숨 때문에 학교생활을 잘할 수 없었기에 '퐁당퐁당' 학교를 가야 했었고 옆에 친구들조차 누가누구인지 모를 정도였다.

친구들 역시 가끔 오는 아이에게 무슨 관심이 있겠는가? 공부는 학교에서보다 집에서 언니들의 도움으로 문제를 풀고 교과과정을 이어나갔다.

초등 2학년 때 기말시험을 치러 학교에 갔다. 교실 입구에서 같은 반 아이가 나를 가리키며 선생님께 하는 말… "선생님 딴 반 애가 우리 반에 들어오려고 해요."하며 문 앞을 막았다. 나를 보며 다가오는 선생님을 보면서 '이제 나를 소개해주시겠지.' 하는 구원에 마음으로 선생님을 바라보았다. 선생님이 하시는 말 "얘는 시험 칠 때만 학교에 오네, 젤 뒷자리 가서 시험치고 가!" 이때 어린 마음이었지만 너무 부끄러워서 눈물까지 글썽이며 울음을 머금고 뒷자리로 가 앉았다. 선생님의 말씀에 생채기로 남아 빨리 그 자리를 뜨고 싶었다. 어떻게 시험을 쳤는지 모를 정도로 후딱 치고 집에 와서 나를 걱정하시는 엄마에게는 아무 일 없는 척 쫑알쫑알 이야기하며 지냈지만 3학년 신학기가 다가올수록 학교에 가고 싶은 마음이 들지 않았다.

다행히 이사를 하면서 전학을 가게 되었고, 이때 난 엄마의 동행을 원하지 않았다. 엄마의 동행은 내가 외톨이가 될 것 같다는 생각이 파노라마처럼 스쳤기 때문이다.

체육시간에 운동장에서 뛰고 있는 친구들, 깔깔거리며 웃는 친구들 그 속에 끼어들지 못하고 벤치에서 친구들 신주머니만 지키며 바라보는 내가 될 것 같았다. 체육시간에 열외 되지 않고 아이들과 어울리기 위해서는 엄마를 무조건 학교에 못 오게 하는 것이었다. 그러기 위해서는 힘들어도 힘들지 않은 척 체력을 길러야 된다는 걸 알고 매일 다른 친구들보다 1시간 일찍 가서 운동장 3바퀴 돌기, 젤 먼저 교실 문 열어 놓고 친구들 기다리기, 먼저 말 걸기 등을 실천하면서 행동 하다 보니 숨찬 나의 모습은 찾아볼 수 없었고 적극적으로 모든 일에 참여하는 내가 되어있었다. 이런 나의 모습에 부모님도 안심하시게 되었다.

유년기 때 아픈 나를 잊고 청년기에는 건강하게 일상생활 하면서 즐겁게 지내다가 결혼 후 40이 넘어서 다시 심장에 무리가 왔다. 심장 아팠던 아이인가? 할 정도로 내가 느끼지 못할 정도로 아무 일 없이 건강을 자부했었다.

그러던 어느 날 아침 일하러 가기 위해서 나가는데 노트북 하나 들지 못할 정도로 손에 힘이 빠지고 주차장까지 걸어갈 수 가 없었다. 조금씩 심호흡하며 숨이 차고 가쁜 숨을 몰아쉬면서 차에 올라 학교로 갔다. 수업 마치고 집으로 오던 도중 핸들을 C병원 응급실로 돌렸다. 응급실에 도착 후 검사가 이루어지고 의사가 와서 하는 말이 "너무 늦었어요. 심장 상태가 1, 2, 3단계가 있다면 마지막 2.5단계로 바로 입원 치료해야 합니다."했다.

'의사가 오버했을 거야. 괜찮을 것이야.' 하면서 입원을 하고 다시 검사하니 폐에 물이 차서 숨쉬기가 힘들었다고 한다. 심장에는 부정맥이 왔으니 전신 마취시켜서 전기동률동(전기충격)으로 심장을 바로 잡아야 하며 잘못되면 뇌졸중 50% 성공확률 50% 급한 마음으로 우리 선택보다 의사의 선택으로 전기동률동을 실시했다. 그리고 심장 사용할 때까지 하고, 60세 될 때쯤 수술해도 된다고 하기에 우리는 혼란스러웠다. 임시적으로 이렇게 있다가 수술 시기를 놓쳐서 다른 장기까지 무너지면 안 될 것 같아서 남편과 의논 후 병원을 옮기기로 했다.

옮긴 K병원에서는 사지에 힘이 쭉~ 빠지는 한마디, “지금 수술하셔야겠는데요. 시간이 지나면 심장이 더 나빠지거나 뇌졸중도 올 수 있으며 또는 약으로 인해서 신장까지 나빠질 수 있다.”는 청천벽력 같은 소리!

할 일이 있어 2주 후에 수술하기로 하였다. 마음이 급해졌다. 나보다 아이 걱정, 남편 걱정이 먼저였고 냉장고에 최소 3주는 찾아 먹을 수 있는 음식을 해둬야 했다. 그래야 아들 혼자 지낼 수 있기 때문이다. 일하는 곳에는 수술하러 간다는 말 대신 길게 휴가 간다고 하고 입원 준비했다.

입원 3일전 코로나19 시국이라 헌혈할 사람들이 없어서 수혈해줄 사람을 구해서 입원하라고 한다. 지인들에게 피 달라고 입을 떼기가 힘들었다. 혹시나 지인으로부터 ‘안 돼’ 라는 말을 들을까봐 혼자 지레짐작을 하며 두려워했다. 조심스럽게 가족과 지인들에게 알리자 대구에 사는 가족뿐만 아니라 지인들 친구의 18세 된 친구 딸, 포항, 서울 등에서 온정의 손길로 수혈을 받았다. 그리고 응원의 소리에 가슴이 뭉클했다.

이 고마움을 어떻게 표현할까? 내가 받은 만큼 다른 사람들에게 나눠주는 것이 친구들에게 받은 사랑을 돌려주는 것이라 생각하고 실천하는 삶을 살고자 마음먹었다.

수술 당일 수술실 앞에서 내 긴장을 풀어주고자 새벽부터 웃게 해 주려고 노력하는 남편을 보며 나는 아무 일 없이 위내시경처럼 가볍게 하고 올게 하면서 수술실로 들어갔다.

TV에서만 보던 수술실 직접 들어와 볼 줄이야. 의사 선생님들 간호사분들이 손잡아 주며 긴장감 풀어줄려고 노력해주시는 모습에 너무 감사했다.

차가운 수술대 위에 누워 있는데 의사 선생님 하시는 말이 예상 수술시간 5시간 소요 될 거니까 푹 자고 일어나라고 하시며 긴장을 풀어주신다. 하지만 난 5시간이라는 소리를 듣고 밖에서 애타게 5시간 동안 기다릴 남편이 걱정 되었다. 수술 끝날 시간만 바라보며 망부석 돌이 되어 기다릴 남편이 너무 안쓰러워 수술대 위에서 소리 내어 엉엉 울었다.

의사 선생님 하시는 말이 안 아프게 수술 잘 할 거니까 긴장 풀라고 하시는데 나의 말은 "밖에 있는 사람 불쌍해서요." 하면서 잠들었다. 5시간 걸린다는 것이 6시간, 수술 후 마취가 풀릴 때 쯤 중환자실로 옮겨갈 때 눈은 떠지지 않았고 웅성웅성 하는 소리에 내 귀는 남편의 목소리를 찾고 있는데 따뜻한 손길로 내 눈을 쓸어주며 눈물 닦아주는 남편을 느끼며 살았구나 하는 안도감과 남편 손이 원래 따뜻한 손이였지만 그 순간은 더 따뜻하게 느껴졌다.

중환자실에서 이틀 있으면서 삶과 죽음의 모습들을 보면서 여기서 벗어나기 위해서는 의사가 시키는 대로 말 잘 듣는 아이가 되어야 된다.

산소 호흡기를 떼기 전에는 물 한 모금 마실 수 없었다.

'물 한 모금 먹지 못해도 좋아!'

내가 빨리 나가야 밖에 있는 사람들 걱정을 들어주는 것이기에 물 달라는 소리 대신 거즈에 물 3분의 2만 묻혀 입술과 혀에 대고 24시간을 견뎠다.

일반실로 옮긴 후 남편이 젤 먼저 하는 말,

"고맙다, 잘 견뎌줘서 니 하고자 하는 거 다 해줄게, 잘 관리해서 집에 가자."라고 하는 남편 참 고맙구나.

내 너를 위해 빨리 회복하도록 노력할게. 그리고 귀에 쏙 들어오는 말 '뭐든 다해준다고?' 든든한 보험 하나 챙긴 것 같다. 꼭 어린아이 주사 맞을 때 엄마랑 딜을 보듯이

"내 주사 다 맞으면 장난감 사줘." 라는 것처럼 나도 어린애가 된 것 같았다.

침상에서 내려와 5일 만에 첫 발을 내딛자 힘이 없어 두 걸음 걷고 지쳐 버렸다. 그래도 다시 새벽부터 10보, 20, 30보 점점 걸음 수 늘려가며 재활을 열심히 하자 수술 후 11일 만에 퇴원하였다. 퇴원 후 1000보, 3000보, 5000보, 20000보까지 아침·저녁으로 걷기를 하고 수술 후 18일 되던 날 우리 집 뒷산에 올랐다. 1시간 거리의 산을 2시간 30분 걸려서 정상까지 도착하자 "이제는 살았구나." 하며 참았던 눈물을 지나가는 사람들 눈치 보지 않고 울었다.

그 울음이 내포하고 있는 많은 의미들이 울음과 섞여 나오자 목에 걸려 있던 물 한줄기가 쏙~내려가는 듯 뚫렸다.

지금도 아침에 일어나면 가장 먼저 내 가슴에 귀를 갖다 되며 맥박, 혈압수치를 체크 하며 스트레스 받지 말고 오늘도 잘 지내자고 말하는 남편이 있기에 감사하다.

어려서는 부모님의 지극정성으로, 현재는 남편의 지극정성으로 살고 있는 나, 불규칙했던 심장소리가 이제는 째깍째깍 시계 분침 소리처럼 일정하게 들리는 나의 심장 소리가 정겹게 들린다.

남편의 심장과 내 심장이 같이 뛰고 있음에 감사하고 매일 어떠한 자리에 내가 있을 수 있는 것에 감사하다.

✣

연말이면 평가 받는 '나' 나도 '가' 받고 싶다.

남편은 연말이면 나에게 성과금을 준다. 1년 동안 살림을 잘 살았는지 내조와 육아 등등의 항목으로 등급을 가, 나, 다 등급으로 나뉘어서 성과금을 지불한다.

늘 '가' 등급 받고 싶은 목마름이 있다.

- 성과금 내역 -

점수 \ 내용	내조	육아	살림
	80	90	90
감점요인	잔소리, 신랑한테 대들기, 막말 등 다양함	귀가 후 손 씻기기 미흡	음식들 유통기한 관리 미흡

- 확정 성과등급: '나' 등급
- 결정 성 과 금: 50만원

- 참고표 -

	'가'등급	'나'등급	'다'등급
성과등급별 지급액	100	50	쥐뿔도 없음

- 위에 표는 지금까지 중 제일 잘 받은 '나'등급 기준으로 작성.

이렇게 등급을 매겨서 성과금 지불을 한다. 이처럼 매번 기발한 생각으로 나에게 웃음을 주기 위해 노력하는 나의 남편이며 인간관계 편에서 행복한 바보2가 나의 친구이다. 동갑이라는 나이에 때로는 허물없이 언쟁을 높이다가 또한 죽이 잘 맞을 때가 더 많다. 부부 사이에 싸우지 않는 사람도 있겠지만 결혼 초 아이 낳을 때 까지는 싸운 적 없다가 아이 낳고 크게 한번 싸움의 물꼬를 터고 나더니 끊임없이 싸우게 되더라 하지만 그것도 냄비 물 화르륵 끓어 오르다가 마냥 식어버리듯이 그렇게 싸움은 끝나버렸다.

늘 다큐멘터리보다는 시트콤처럼 되어 버리는 '너'와 '나'
나이 들어감에 더 안타까워하고 하고 싶은 게 많은 우리이다. 김광석의 "어느 60대 노부부 이야기"의 노래를 들으며 내 손 꼭 잡으며 눈물짓는 나의 남편.

당신의 휴대폰에 '마눌님'이라고 지칭하며 늘 마눌님 먼저이고 좋은 건 마눌님, 나쁜 건 본인이 먼저이며 가장 예쁜 과일도 깎아서 마눌님 먼저 본인은 과일 뼈다귀를 맛본다.

항상 내 먼저가 아니라 가족 먼저 그 중에서도 마눌님 먼저라 생각하는 '너', 항상 위트 있게 웃음 줄려고 하는 '너', 시트콤 같은 일상생활을 즐기는 '너', 너무 싱거워서 2%의 소금만 치면 완벽해지는 너이기에 사랑스럽다. 다음 생애 또 만난다면 내가 먼저 다가가 즐겁게 해 주고 싶은'너'이다. 친구로서 너와 내가 허물없이 만났고 결혼 전 너와 나의 이야기가 아닌 다른 주제로 열심히 싸웠지만 그것마저도 사랑스러운 너이다.
지금도 충분하지만 좀 더 욕심을 부려보고자 한다.
당신이 허락한다면 다음 생애 또 부부로 만나도 될까요?

✣

계란 한 판에 만난 대명동의 행복한 바보들

바보들...
덤 앤 더머들...
하지만 행복한 바보들...
서른에 만난 우리 친구들...
거짓 없이 있는 그대로 어리한 것 같지만 똑똑한 바보들...

작은 것에 감사할 줄 아는 바보들을 만나 지금도 행복함은 진행 중이다. 각양각색 독특한 성격의 소유자들이지만 항상 둥글둥글 하게 탓하지 않고 바라보면 허물없이 대하는 바보들이 있기에 행복하다. 항상 모이면 시장 통처럼 삶이 묻어나는 시끄러움 속에 말할 수 있는 기회를 빨리 찾아서 말을 해야 살아남거나 아님 포기하고 묵묵히 이야기를 들어야 하는 두부류로 나뉘게 하는 말 많은 바보들... (여기서 말하는 얼은 바보를 애칭 하는 말이다. 해외여행 시 이미지상 바보보다는 '얼'로 통한다.)

바보1은 비의 신 아들인지 비만 몰고 다닌다. 요즘 나이가 들어서인지 좀 뜸하게 비가 내린다. 1분 동안 말하지 않고 참고 있다가 병 날 것 같은 이 바보는 미스트빈 한국이름 김00 때론 1얼로 통한다. 우리 집 비번알고 자기 집처럼 들락날락 거리는 자(실명으로 기재되기를 좋아하는 김동주)

바보2는 큰 키를 가진 사람이 싱겁다고 했던가? 큰 키를 전화기 폴더 마냥 짝짝 접을 수 있는 재능자. 역시 1분 동안 말 못하면 병날 것 같은 사람, 말을 받아주는 사람 없어도 혼자 비 맞은 중처럼 중얼중얼 거리는 바보이자 취미 부자 파브르 홍00은 바보1 보다 더 많은 말을 하기 위해 노력 중이다. 2얼이다. 우리 집 비번의 주인이지만 매번 틀려서 다시 누르고 들어오는 자(역시 실명 거론되기를 좋아하는 자 홍서기)

바보3은 자수성가해서 우리들의 회장님이라 불리는 재력 있는 바보, 귀를 열고 묵묵히 듣다가 바로 행동으로 옮기시는 행동파 김00 3얼이다. 우리 집에 사람 있어도 벨 누르지 않고 비번 누르고 들어오는지...(실명 동의를 구하지 않음)

바보4는 큰 키에 잘생긴 미남형 바보는 허우대와 비주얼은 최고이며 웃는 모습이 더 매력적인 바보, 단순하지만 할 말 다 하는 행복한 바보 곽00 4얼이다. 비번 알려져도 모르는 자(실명 거론이 되어도 모르는 자 곽상익)

바보5는 만나면 "안녕하세요?"만 할 뿐 말이 없다. 이때 술이라는 녀석이 몸에 들어가 줘야 말 없던 사람이 말문을 열며 시끄러워지면서 노래방 마이크는 독차지인 박00(실명 거론에 있어 "몰라요?"만 할 뿐인자)

바보6은 김00. 만담가도 울고 가는 재능 있는 말 빨 능력의 소유자.

바보7은 오00. 한 가지 음식에 홀릭되면 그 어떤 좋은 음식이 있어도 그것만 먹는 자. 6얼과 7얼 이 두 사람은 몸에 말제조기가 따로 장착이 되어있는지 모이면 이 6얼과 7얼의 장이라고 봐도 된다.

바보8은 삶이 바빠서 한 번씩 등장하지만 역시 말 많다. 킁킁거리며 냄새를 맡는다고 '똥개'라 불린다.

바보9도 역시 재력가 말없이 묵묵히 듣기만 할 뿐 한 번씩 급발진적 일 때도 있다.

우리 대명동 바보들은 어릴 때 어른신들 계실 때부터 앞집, 뒷집, 옆집 오가며 지냈고 그 형제자매들이 무엇을 하며 지내는지 까지 다 알고 있는 녀석들이다.
TV 프로그램 "응답하라 1998"처럼 놀다가 때가 되면 밥 먹고 누구네 집에 모여서 놀았던 기억들을 같이 공유하며 지내온 바보들이다. 일명 이 친구들은 불알친구들로 불린다. 모두가 대구를 떠나면 죽는 줄 알고 대구 안에서 일자리를 찾고 가정을 꾸리고 술이 고플 때 심심할 때 슬플 때 늘 불러낼 수 있다는 바보들이 있기에 행복한 바보들이다.

지금은 조금 세상 밖으로 대구 밖으로 나가서 일을 하지만 집은 여전히 대구에 있으니 주말이면 모여들 수밖에 없다. 이제는 젊을 때 철없는 모습보다는 가정의 중심으로 각자의 남편으로 아빠로서 책임감 가지고 살아가는 모습에 어느덧 우리 얼굴에도 주름이 찾아왔고 진눈개비마냥 흰머리가 고개를 내미는 중년의 나이가 되었다.

아이들의 자라남이 우리의 청춘은 사라지고 흘러가는 시간에 안타까워하는 나이가 되어있다. 노안이라고 병원 알아보고 돋보기 찾는 모습을 그 옛날에는 생각했을까? 마냥 그때의 즐거움 소주잔에 계란말이 하나라도 놓고 먹으며 즐거워하던 그때를 지금은 감성을 찾으며 추억을 공유하며 천진난만하게 웃는 바보들...

1주일 행복은 로또에 걸고, 말년에 행복은 코인이 벌어줄 거라는 행복한 생각을 하며 지내는 바보들은 주식 상승 그래프에 웃고 급하강 그래프에도 웃는 긍정적 바보들...

1조, 2조, 3조, 4조라는 목표를 가지고 있는 바보들아!
건강관리 잘 해서 꼭 몰디브에서 모히또 마시자!
나의 사랑하는 행복한 바보들...

✣

카세트테이프 선물 하나의 나비효과

나는 어릴 때 필요한 물건이 있으면 엄마랑 같이 가서 구입하거나 사다 주셨기 때문에 선물이라는 의미를 잘 가지지 못했다. 때론 집에 오는 사람들이 과자 박스를 사 가지고 와서 선물이라고 해도 '왜 이게 선물이지?' 과자일 뿐인데 그러면서 선물 받았을 때 기쁨이라고는 찾아볼 수 가 없어서 때론 주는 사람이 무안하거나 당황하게 한 적도 있었다. 지금 생각하면 정말 미안한 일이었다.

8살 때 일이다. 큰 언니에게 카세트테이프를 선물 받았다. 내용은 "옛날 옛적에 동화 12편"이 수록 되어 있는 2개의 테이프였다. 큰언니가 "혼자 있는 너를 위해 샀어, 심심할 때 들어!"라고 하는데 어린 마음에 눈물이 왈칵 났다. 큰언니하고 나는 13살의 나이 차이가 있다.

언니를 부를 때는 "큰언니야, 큰언니야." 하면서 불러도 나이 차이가 있다 보니 친근감보다는 이질감이 있었다. 그렇게 느끼고 있는 나는 큰언니에게 선물을 받았다는 것은 '나를 생각하고 테이프를 사 왔구나!' 하는 고마움이 들 수밖에 없었다. 나도 모르게 눈물을 훌쩍훌쩍 그리고 있으니 우는 모습에 당황한 언니는 "왜, 과자가 아니라서 마음에 안 드나?" 하는데 바로 옆에 있던 셋째언니는 비아냥거리며 “경호는 책이랑 동화 그런 거 모른다. 과자나 사주면 나랑 묵지.” 라고 하며 입을 삐죽삐죽 그렸다. 자신의 선물은 없다고 심드렁하게 심술까지 부리며 내 테이프를 던지는 것이었다.

눈물도 잠시 내 손은 셋째언니 등으로 날아갔고 결국 싸움이 붙었다. 나는 언니가 얄밉기도 했고 내 소중한 선물을 던졌다는 것에 화가 났다. 사실 그것보다도 혹여나 셋째언니의 말 한마디에 큰언니가 다시 바꿔서 과자로 가지고 오면 어떡하나? 싶어서였다. 결국 엄마의 중재로 싸움은 풀렸지만 씩씩거리며 있는 셋째언니는 분을 참지 못해서 가자미눈보다 더 날카롭게 치켜뜨고 째려보는 것이었다. 나는 내 물건 챙겼고 셋째언니 한 대 쥐어박았으니 내 분한 마음은 사라졌다.

빨리 누구에게라도 방해받지 않는 곳으로 가서 테이프를 듣고 싶었다. 카세트테이프 들고 다락방에 올라가서 문을 걸어 잠그고 동화를 듣기 시작했다. 지금도 생각나는 첫 동화는 “흥부 놀부전”이다. 그 당시 카세트테이프 속에서 흘러나오는 이야기가 너무 재미있어서 듣고 또 듣고 대사까지 외우며 ‘의성어, 의태어’까지 따라 할 정도로 무한 반복을 하고 들었다. 특히나 “장화 홍련” 이야기의 귀신 울음소리에 보이지 않는 상상의 나래를 펼치면서 이불 뒤집어쓰고 땀 삐질삐질 흘리며 들었던 기억들 8살에 나는 이 카세트테이프를 통해서 동화가 좋아졌고 책을 찾아 읽기 시작했다.

그 당시 문방구에서 처음으로 용돈 모아 2,800원을 주고 구입한 "우렁각시 외 5편" 책을 보고 또 보고 하다 보니 나달나달해지자 어느새 이 책은 국 받침 냄비 받침으로 사용하게 되고 결국 냄비에 든 라면을 쏟아서 책을 못 읽게 되자 아버지가 버리셨다. 그 책이 버려진 날 세상 떠나가게 울었으며 집을 나왔다. 근데 갈 곳이 없었다.

나무 그늘에서 나무작대기로 땅바닥에 온갖 저주의 말은 다 적으며 울고 있을 때 친구가 와서 나의 이야기를 듣더니 좋은 생각이 있다고 도서관에 가자고 했다. 도서관이라는 곳은 학교만 있다고 생각했던 나에게는 눈이 번쩍 귀가 솔깃한 정보였다. 그 당시 학교는 여름 방학이라서 문을 닫았고 친구의 정보로 같이 북구 도서관을 찾아 가 보기로 했다. 근데 친구는 북구 도서관을 가 본 경험이 한 번밖에 없었다고 한다.

"길을 어떻게 알고 가지?"
"괜찮아, 나 한번 가봤기 때문에 찾아갈 수 있어!"
"그래, 그럼 가자!"
내 속마음은 '어차피 울며 집에서 나왔는데 도서관이라는 피신처에서 놀다가 밤늦게 들어가면 나를 찾겠지? 그럼 아버지 때문에 나갔으니까 미안한 마음도 들 것이고 화도 안 내겠지?' 하는 생각으로 마음속에 있던 화딱지가 사그라들고 하물며 나를 찾을 거라는 고소함과 통쾌감까지 들었다.

눈물범벅이 된 얼굴을 친구 집에 가서 대충 씻고 친구랑 과자랑,

물, 과일 등을 주머니에 넣고 북구 도서관을 찾아갔다. 다행히 길을 헤매지 않고 바로 갈 수 있었다. 도서관에 들어간 나는 문화충격을 받았다. 그렇게 큰 도서관은 처음 보았으며 여기저기 테이블마다 꽉 채워서 책을 읽는 아이들과 엄마들까지 앉을 자리가 없어서 바닥까지 엎드려서 책을 읽는 아이들의 모습에 나에게는 신세계였다.

특히 '우리 엄마는 일하는데? 엄마들이 여기 왜 있어?' 나는 우리 엄마가 일하러 가서 다른 엄마도 다 일하러 다니는 줄 알았다. 엄마와 같이 온 아이들 모습이 부러웠다. 하지만 그것도 잠시 책이 많아서 좋았고 어디서 어떻게 찾아보아야 하는지 혼자 여기도 갔다 저기도 갔다 하니까 담당하시는 분이 불렀다.

"혼자 왔니? 부모님과 왔니?

'헉! 부모님하고 같이 와야 되나? 어떡하지' 하는 마음으로 기어들어가는 소리로 "혼자, 아니 친구랑 왔어요?"하니 한참을 쳐다보시며, "그래? 그럼 뛰어 다니지 말고 조용히 책 읽다가 가라."는 이야기를 듣고 뒤 돌아서는데…

"근데, 그 주머니에 든 건 뭐지?"

"친구랑 먹을 간식이요."

"여기서 먹겠다고?, 애가 정신이 있는 아이니? 없는 아이니?" 라고 하면서 사람들 많은 곳에서 오히려 자신이 더 큰 목소리로 혼을 내고 있다. 신주머니에 든 과자와 과일을 사람들 보는 앞에서 주르륵 쏟아 부으며 화를 내셨다.

멀찌감치 있던 친구가 다가와서 “우리 그냥 집에 가자!” 라고 하는데 부끄러움과 쫓겨나서 집에 가야된다는 불안감과 ‘우리가 뭘 잘못했지?’라는 생각과 오만가지의 생각이 들었다. 그 중에서 부끄러움이 젤 크게 작용되어서 내 몸에 붉은 핏기는 얼굴과 귀까지 올라갔다. 주위의 시선들은 모두 우리를 향하고 있었고 무슨 잘못을 했는지도 모른 채 친구와 나는 머리만 푹 숙인 채 있었다.

“실내화도 신지 않고 맨발로 돌아 댕기고 도서관 예의도 모르고 부모님도 오지 않고 책도 빨리 찾지 않고 한심한 애들이네. 저기 구석에 가서 책 조금 읽고 가라! 절대 안에서 음식 먹지 말고!” 그러면서 자기 책상으로 돌아갔다. 친구는 그냥 집에 가자고 했지만 이대로 나가기는 너무 억울했다. 쏟아진 과자랑 과일을 다시 주머니에 넣고 손에 잡히는 아무 책이나 한 권 들고 그분이 가리키는 구석진 곳에 가서 친구랑 눈으로 대화했다. 욕이었다.

그리고 책을 보니 책 제목이 [우리가 알아야 할 인체의 신비] 분해서 나는 알고 싶지 않았다. 책이 눈에 하나도 들어오지 않았다. 또한 내가 좋아하는 책이 아니기에 더 싫었다. 그때까지도 사람들이 우리만 쳐다보는 것 같았다. 억울해서 참을 수가 없었다. 친구에게 소곤소곤 거리며 “일단 정신 차리고 생각 좀 하자, 그리고 집에 가자!” 사실 억울함도 있었지만 이 많은 책 중 한 권도 못 읽고 간다는 게 싫었다.

마음을 가라앉히고 다시 동화책 한 권을 찾아 들고 와서 읽었다. 한 권 다 읽을 때쯤 주위를 보니 몇 사람도 없었고 시계가 5시를 가리켰다. 친구랑 나는 집에 가자고 도서관 문을 열고 나왔지만 화가 삭히지 않아서 도저히 이대로는 집에 못 갈 것 같았다. 그리고 신발장 아래 실내화가 가득 있는 것을 보니 더 화가 났다. 우리가 들어갈 때는 실내화가 한 켤레도 없었는데 더 억울했다. 다시 도서관 문을 열고 들어가니까 우리를 혼냈던 아가씨인지 아주머니인지 모르겠지만 옆에 사람들과 '깔깔깔' 거리며 웃고 있었다. 나는 조금 전 내 얼굴의 핏기를 다시 끌어 모아 이야기를 했다.

"도서관에서 떠드는 거 아니라면서 왜 웃고 있어요? 그것도 큰 소리로" 나를 어이없다는 듯이 쳐다봤다.

"그리고 우리가 들어갈 때는 실내화가 하나도 없었어요, 지금은 사람들이 집에 갔으니까 신발이 많고요. 그리고 과자는 도서관에서 먹으려고 한 게 아니라 집에 갈 때 먹으려고 했던거고요."

이 때 돌아오는 말 "야! 너거 아직 집에 안 갔나? 한 권만 읽고 가라고 했지?"

"한 권 읽었고요 다시는 못생긴 아줌마 있는 도서관에 와서 책 안 읽을 거예요. 이 못생긴 여드름 코딱지 아줌마야!"

혹여나 뒷덜미 잡힐까 봐 재빠르게 뒤돌아서서 나오려는데 밖에 있던 친구가 언제 들어왔는지 모래 한 주먹 던지고 "뛰어!" 라고 했을 때 앞만 보고 뛰었다. 뛰어봐야 어린아이 뜀박질이 멀리 가지는 못했지만 신호등 건너고 도서관을 바라보면서 우리 둘은 깔깔 그렸다. 우리는 통쾌했다.

그리고 집에 오는 길은 쉽지가 않았다. 정신 똑바로 차리고 도서관 찾아갈 때 보다는 통쾌감에 과자를 먹으며 걷다 보니 이 길이 맞는지 저 길이 맞는지 한참을 헤매다가 집에 돌아오기는 왔다. 둘은 녹초가 되어서 슈퍼 앞 평상에 앉았다. 이제 넘어야 할 산이 하나 더 있다. 집에 분위기다.

친구는 할머니에게 말 하고 왔지만 나는 이제 어떡하지?

도서관 갈 때 까지는 고소한 마음으로 갔지만 막상 집 앞에 오니 늦은 시간이기도 하지만 집에 들어가기가 왠지 쑥스러웠다. 이야기 없이 이 시간까지 나가있었다고 혼날 것 같은 두려움이 더 컸다. 불안한 마음으로 집에 들어가자 아무도 나를 찾지 않았다. 도둑이 지 발 저리다고 했던가. 나 혼자 겁먹고 불안하게 집에 들어 왔는데 그 누구도 "어디 갔었니?"라고 물어보는 사람이 없다. 다른 사람들은 전혀 신경 쓰고 있지 않았다. 서운한 마음이 들었지만 일단 혼나지 않았다는 것에 안도감을 가지고 씻고 밥을 먹었다.

내 어린 시절 도서관은 북구 도서관이 처음이자 마지막이 되었고 다시 도서관을 찾았을 때는 중학교 3학년 때 공부하기 위해 찾은 중앙 도서관이었다. 어느 날 문득 새롭게 단장한 북구 도서관을 볼 때 그 때 그 사람은 계속 그 일을 하고 있을까? 라는 궁금증이 생긴다. 그렇다고 알아본들 어쩌겠는가? 어린 시절 처음 찾게 된 도서관의 추억이 좋지만은 않았지만 나에게는 추억으로 남고 함께 한 내 친구를 떠올리게 된다.

큰 언니의 선물 카세트테이프로 인해 책을 좋아하게 되고 책이 좋아서 대학교 진로도 그쪽으로 선택 했으며 지금도 책과 관련된 직업을 하고 있으니 카세트테이프 선물 하나의 나비효과 위력은 내 진로의 방향이 된 것이다.

✣

나의 아버지

겨울모자...
두꺼운 잠바...
호루라기...

'앞산순환도로 우회전,
과메기에 소주 세 꼬푸'
하면 떠오르는 사람이 있다.

유난히 겨울이 되면 더 생각이 나고 점포 앞 과메기 포스터가 붙여진 곳을 지나면 다시 한 번 보게 된다.

또한 앞산순환도로 끝자락에 와서 우회전하면 그분을 보러 갈 수 있었는데, 무엇이 바빴는지 생각만 할 뿐 핸들은 좌회전을 했다.

돌아가신 분을 생각할 때 누구나 살아서 잘해준 일 보다 못했던 일들이 더 가슴에 남는다 했던가? 나 역시 후회하지 않을 만큼만 최선을 다하자 했건만 그분이 돌아가시고 나니 이제야 중년의 나이가 되어서 그분의 심정과 외로움을 하나씩 하나씩 느끼게 된다.

그 분... 바로 나의 아버지

요양원에 계실 때 돌아가시기 일주일 전에 보는 사람들에게 본인이 늘 쓰고 다니고 입고 다녔던 겨울모자와 두꺼운 잠바를 챙겨오라고 하신 아버지, 모친에게는 윗옷을 만지작거리며 가는 길에 두꺼운 윗옷 하나 사 입으라고 하시던 아버지, 너무 아파서 힘들게 불러도, 불러도 대답 없는 요양사 아주머니들에게 조금이라도 의사 전달하기 위한 호루라기를 사오라고 하신 아버지...

호루라기 사오라는 소리에 대수롭지 않게 생각했고 옷을 가지고 오라는 말씀에 꼭 자신의 죽음을 준비하시는 게 싫어서 무시했던 말들이 가슴에 남는다. 좀 더 세심히 살펴봐 드리지 못해서 미안할 따름이다.

어느 날 그때도 겨울이었다.

식당 앞 과메기 포스터를 보고 내가 과메기를 좋아하는지라 포장해서 소주 하나 사서 혼자 식탁 앞에 앉아서 먹으려고 할 때 아버지는 내 주변만 왔다 갔다 하셨다. 당연히 아버지는 비려서

드실 줄 모르니까 드셔보라고 말 한마디 건너지 않고 먼저 한 쌈 오지게 사서 내 입으로 넣었다. 먹으면서도 '우리 아버지는 과메기 좋아하지 않겠지? 근데 왜 자꾸 내 주위를 맴맴돌지?' 하며 혼자 쳐묵쳐묵 할 때 아버지 하시는 말씀....

"나도 좀 묵으면 안 되겠나? 그 참 맛있겠다."

'드실 줄 모를 것인데...'라는 생각으로 젓가락을 가져다 드리며 "당연히 드셔도 되지? 근데 비려서 안 좋아 할 건데?"

"누가 안 좋아 한다 하더노? 내 좋아한다." 하시며 고추장에 푹 찍어서 과메기를 드시더니 "소주도 한 꼬푸 줘 봐라!"

소주 한 잔 드시고 과메기 몇 점 드시는 모습에

'아 우리 아버지도 과메기 먹을 줄 아는구나?'

"소주 석 잔만 묵고 들어갈게." 하시며 소주 석 잔이랑 과메기 몇 점 드시고 안방으로 들어가시며, "아, 참 잘 먹었다. 그것 참 맛있네."하시며 입술을 손으로 훔치며 들어가시는 모습이 어제 일처럼 선하게 그려진다.

아버지와 같이 소주잔 나누며 과메기를 먹은 것은 처음이자 마지막이었다.

이러한 일들이 돌아가신 후에야 생각나고 미안한 마음 가득하니 진작 무엇을 좋아하는지 물어보지도 않은 채 사다 드릴 생각을 못했다는 것이 후회만 들뿐이다.

역시 후회가 앞선 지난날 아버지에게 다하지 못했던 일들이 생각나면서 이글을 통해서 아버지에게 전하고 싶다.

집안의 대들보답게 우뚝이 중심 잡고 살아오시는 동안 헌신적으로 열심히 사셨습니다.

고맙습니다.

✣

아들~ 이제 사춘기에서 벗어나자

사람들은 자식을 표현할 때 '눈에 넣어도 아프지 않다.'라는 말을 한다. 나의 아들 역시 나에게는 그렇게 표현할 정도로 예쁘고 사랑스럽다. 하지만 '눈에 넣어도 아프지 않다.'는 것은 아닌 것 같다. 눈에 넣으면 아프다. 지금 사춘기를 겪고 있는 녀석을 보니 눈으로만 봐야 되겠다.

중3 사춘기 아들이라 그런지 귀는 무엇으로 막았는지?
사춘기를 고려해서 나온 것일까? 노이즈 캔슬링 이어폰 효과는 정말 좋은 것 같다. 소음이 차단된다. 부모의 목소리는 소음으로 처리된다. 반복된 말 속에 돌아오는 건 행동 하나만이라도 하면 다행이다. 부딪히며 불꽃 튀기는 짱돌 마냥 끊임없이 스파크가 일어난다.

다정다감했던 모습은 온데간데없고 지금은 사춘기를 타고 있는 아들, 통과의례적인 사춘기를 겪으며 성장하고 있는 아들을 보면서 나의 과거도 돌아보게 되며 반성을 하게 된다. 아들이 하는 행동에 이해는 가지만 가끔 지나치다는 생각을 한다. 그런 행동을 보면서 나의 마음을 다스리는 기회를 주는 것 같다. 성난 뿔 소 마냥 뒤돌아서 콧김 푹푹 내어 쉬며 마인드컨트롤 하는 나 자신을 보면서 부모가 되어봐야 부모의 마음을 안다고 했던가? 옛 어르신 말씀 중 틀린 게 없구나 싶다.

어린 시절 톡톡 어디로 튈지 감을 잡지 못하게 했던 아들,

지금도 엄마는 감을 잡기가 어렵다.

그래도 천방지축 날뛰는 너의 모습이 좋았고 TV속에 경찰이 도둑을 잡으러 가는 모습을 보고 "우와 멋있다, 난 크면 도망가는 도둑놈 되어야지!" 하며 뒤통수 잡게 했던 아들, 먹는 것보다 노는 것을 좋아하고 입이 짧아서 먹는 것조차 싫어하는 너는 음식을 연명하기 위해 섭취하는 듯 했지? 그러면서도 잘 자라 줘서 고맙구나.

입은 짧지만 크게 음식 투정 없이 밥에 참기름 비며 주면 최고인 줄 알고 지금도 참기름 밥이 최고라고 먹는 너를 보면서 단순하지만 까다로운 녀석이라는 걸 다시 느낀다. 엄마밥보다 CU밥이 맛있다고 지금은 PC방이 맛있다고 하는 아들, 어릴 때는 CU가 키우고 지금은 PC방이 널 키운다고 내가 농담처럼 말하지만 엄마 밥도 맛있다는 거 알지?

넉살좋게 '이 사람' '저 사람'하고도 잘 지내고 '모르는 사람' 보면 알고 지내는 사람과 대화하듯 자연스럽게 어울리며 해외 어디를 가나 친구 만들어 노는 너의 사교성 또한 멋지다는 거

인정한다. 항상 자존감과 자신감이 충만한 녀석이 사춘기 겪으면서 너 안에 너와 충돌도 할 것이고 부모인 우리와 충돌도 하겠지만 마인드컨트롤 하면서 사춘기를 겪어 나가는 것도 인생의 한 부분이니까 지혜롭게 컨트롤 잘 했으면 한다. 우리는 항상 그 자리에 있지만 사춘기를 너무 길게 겪지 말고 돌아오길 바래.

사춘기는 사춘기 일뿐이야...

✣

끈을 놓을 때도 되었건만....

나의 어머니는 자신의 삶의 이야기를 하라고 하면 항상 하시는 말씀이 "내 살아온 이야기를 책으로 쓰면 열권도 넘는다." 하시며 살아온 이야기를 녹음기 재생 반복되듯 이야기 하시며 웃고 우신다. 마냥 듣고만 있다가 우시면 "또또 운다."하며 듣기 싫어서 그 자리를 피했었다.

그러나 노인자서전쓰기 강의를 통해서 엄마의 인생사를 열권 넘게 써 드릴 수는 없지만 짧게나마 어머니의 기억 한 조각이라도 기록을 하려고 한다.

우리가 부르는 애칭에는 "인조인간과 철인인간"이 있다.

인조인간이라 불리는 나의 아버지는 수술을 많이 하셨다. 그런 반면 나의 어머니는 지금껏 수술 없이 크게 아프신 곳 없이 주어진 일을 묵묵히 하며 작은 체구에 작은 거인이라 불릴

만큼 철인 인간처럼 일을 한다. 놀면 무슨 일 일어나는 줄 알고 끊임없이 지금도 일을 하신다.

"적은 돈이라도 벌어서 자식에게 짐 지우지 않고자 하는 마음과 아직도 자신 스스로 일을 할 수 있다."라는 자부심으로 매일 매일 20분 거리를 걸어서 다니신다.

나름 자신만의 운동규칙으로 "야! 야, 하루 죙일(종일의 방언) 앉아서 일하고 걸어서 와야 혈액순환이 되고 다리가 노골노골(노글노글)하이 풀린다."고 하신다. 춥거나 더울 때는 버스라도 타고 이동을 하면 좋으련만 그건 극히 드문 일이다. 때론 새벽 4시에도 일하러 가실 때가 있다. 무슨 경쟁이라도 하는 양 거기 있는 사람들보다 많이 일 하려는 욕심에 때로는 본인이 직접 셔터 문을 열고 들어가서 일을 하신다.

이런 해프닝도 있었다.

자식들이 새벽 일찍 일을 못 가게 하자 이제는 간다는 말도 없이 조용히 새벽 4시에 일하러 가시다가 셋째 사위한테 딱! 걸렸다. 자동차 창문을 내리며 어머니의 뒤를 살살 따라가며 사위가 하는 말 "장모님, 이 새벽에 어디 가십니꺼?" 그러자 돌아오는 엄마의 대답은 "누구십니꺼? 모르는 사람인갑네요." 라고 하며 옷깃을 여미며 발걸음 재촉하면서 걸어가셨다고 한다.

이제는 83세 고령이라서 일하고자 하는 마음의 끈을 놓아야 되는데 어머니는 끈을 놓을 수가 없는가 보다. 일하고 녹초가 되어 집에 들어오면 집이 따뜻하고 포근하다고 하신다.

"물론 아파트라서 겨울에는 따뜻하겠지" 라고 하면

"너거 아부지가 있어서 포근히 감싸주고 있다."

"헐 이건 또 무슨 소리?, 순간 무섭구로 와카노?"
그러면 어머니는 항상
"영감이 있을 때처럼 포근한 느낌이 든다."

아버지가 돌아가신지 벌써 만 10년이 지났건만 아직도 아버지가 계신다고 생각하고 있으니...

그렇다고 치매가 있는 것은 아니다. 아직도 아버지의 끈을 놓지 못하고 곁에 계신다고 하신다. 하물며 혹은 오랜만에 만난 사람들이 아버지의 소식을 물으면 잘 계신다고 하시며 일하는 곳에서 같이 저녁 먹고 가라고 해도 아버지 밥을 챙겨야 된다고 집에 오신다고 하니... 처음엔 나 역시 치매 초기인가 싶었지만 어머니 본인이 아직은 아버지의 끈을 놓지 못하고 주위 사람들에게 사별이 아닌 남편이 있는 여인으로 비추고 싶은 것이다.

그 옛날 곱디고운 여인은 자기 집에 놀러 온 오빠 친구인 아버지의 추파수를 받으며 사랑의 큐피드를 받았다. 그 당시 시외버스기사로 활동하던 아버지의 제복 입은 모습에 훅 빠졌다고 한다. 아버지 쉬는 날에는 지프 차 타고 와서 엄마를 꼬드기면 외할아버지는 못 나가게 대문을 잠갔다고 하니...

그렇다고 청춘남녀가 만나지 않을 수가 있을까?

어머니는 예쁜 옷을 보따리에 싸서 대문 밖으로 먼저 밀어내시고 뒷문으로 살짝 나와서 옷을 입고 아버지를 만나서 데이트를 하러 가셨다고 한다.

그 당시 아버지는 차가진 오렌지족 아님 야타족이라고 해야 하나? 키 179에 풍채 좋으셨던 제복 입은 아버지의 모습에 훅 끌렸다고 하시니 그때부터 눈에 콩 껍데기를 뒤집어썼다고 하셨다.

그지없는 선남선녀의 만남이라고 해야 할까?

외갓집이 종갓집이라서 외할머니는 아버지가 종갓집이라고 결혼을 승낙하지 않았다고 한다. 이때 외삼촌이 직장 좋고 사람 좋으니 승낙하시라고 설득하셔서 두 사람은 결혼 승낙을 받고 어머니는 시집을 오게 되었지만,

"너거 아부지 빛 좋은 개살구더라. 혼자 돈 벌어서 밑 빠진 독에 물 들이 부어야 했다."

"너거 작은 외삼촌이 오작교인줄 알았디 절대 아니더라. 그때 오빠만 좀 말렸어도"

하지만 아버지를 만난 걸 후회하지를 않는다고 하셨다. 다만 외삼촌만 욕 좀 먹었을 뿐이었다. 4남 2녀 맏이에 종갓집이라는 것을 알고 시집은 왔지만 결혼 후 바로 현실 모드로 들어갔다고 하니... 7살 된 시누가 있어서 가는 곳 마다 데리고 다녀야 하고 할머니를 대신해서 엄마의 역할을 하게 된 올케가 되었으니... 어머니의 긍정적 성격답게 수긍할 것 바로 수긍하고 종갓집 며느리의 삶을 산 어머니는 때로는 식구가 많아서 힘들 때도 많았고 내 자식 낳아서 돌보기보다는 시동생들 시누이들 출가할 때 까지 혼수비용까지 마련해서 독립시키고 보니 내 자식이 어느새 훌쩍 자라있더란다.

그렇다고 내 자식을 위한 준비된 경제적 여건 없어서 직접 일자리를 찾아야 했고 1남 4녀를 키워야 했으니 아파도 마음 편하게 누워 쉬지를 못했다. 조금이라도 일을 더 하기 위해서 새벽 5시만 되면 아침밥과 우리들의 도시락을 싸놓고 본인은 식사도 하지 못하고 일을 하러 가셔야 했다. 일하다가 잠이 오면 일 욕심에 커피 믹서 가루와 박카스를 같이 마시면서 일을 하고 집에 오면 10시이다. 잠깐 눈을 붙이고 새벽이면 어김없이 본인의 할 일을 다 하고 일하러 가던 어머니, 때로는 1년에 명절 빼고 11번 있는 제사를 지낼 때면 제사 전날 미리 음식을 해놓고 일하러 가야 했던 어머니....

아내로서 어머니로서 종부로서 끊임없이 책임감을 다하려고 하시는 어머니가 때론 여자인 어린 눈으로 봐도 안타까울 뿐이었다. 어머니의 기억 속 유일한 낙이라고는 쉬는 날 아버지와의 데이트였다고 한다. 횟집에서 회 한 접시랑 소주 일병, 맥주 두병 사이좋게 나눠 마시며 때로는 무심한 듯하면서 백화점에 가서 아버지가 사주시는 옷을 입을 때 행복 했으며 또한 비오는 날이면 짬뽕이랑 시커먼 것(짜장)먹고 여름이면 냉면을 드시는 게 행복 이였다고 한다. 소소하지만 행복의 추억 때문인가 아직도 아버지의 끈을 놓지 못하고 있다.

지금도 새벽 5시가 되면 박카스 뚜껑 "따닥따닥"하는 소리로 어머니의 기상을 알린다. 어머니의 삶이 롤러코스트 타듯이 오르락내리락 했지만 지금은 편안한 주행선에서 서행하고 계신다. 돌아가시는 그 날 까지 건강 잘 지켜서 편안히 지냈으면 한다.

"갈 곳이라고는 한 군데 밖에 없다."고 하시는 어머니의 말씀에 가슴이 저려온다.

아직은 이별을 준비할 마음이 되지 않았기 때문에 건강 잘 지키셔서 오래오래 지금처럼 지내기를 바라는 딸의 마음이다.

장한 여인 김채연씨! 그대 살아온 기억 속 여러 조각 중 한 조각만이라도 이 책 여기에 남겨 봅니다. 지금까지 잘 살아오셨고 지금처럼만 지내주세요.

사랑합니다. 어머니!

✣

노인 자서전 쓰기 지도사 과정을 마치면서…

퇴근 시간 도시의 차들이 밀리기 시작할 때쯤 노인 자서전 쓰기 강의를 듣기 위해 선홍평생교육원을 찾았다. 매번 가는 날마다 내적인 갈등을 느끼며 교육원에 도착했다. 학습자님들과 서로 인사를 하고 교육을 받으며 한 사람 한 사람 이야기를 들으며 그땐 그랬지? 하며 그분들의 삶에 스며들었다. 그분들의 이야기를 들으며 나의 추억 속으로 들어갔다. 잊고 있었던 지난 추억을 하나하나 끄집어내어 문자로 형상화시켰다. 2시간의 시간이 흐르고 집에 갈 때쯤 또한 내적인 갈등을 느꼈다.

'내가 과연 이 수업에 끝까지 참여할 수 있을까?' 하는 마음과 끝을 보고자 하는 마음이 교차 되고 있었다.

하지만 자신감이 서지 않았다.

수업참여 50%로 되어갈 때쯤 조금씩 싹트기 시작하는 마음 '시작하기 잘했다. 오기를 잘했네.' 하며 내적인 갈등은 긍정적으로 바뀌기 시작했다.

집에 갈 때는 내적인 갈등을 일으킨 나를 반성하고 내 삶을 다시 한 번 되돌아봤다. 그냥 지나간 추억으로 묻힐 수 있는 것 들이 노인 자서전 쓰기를 통해서 끄집어내어 기록할 수 있는 기회가 되었다.

우리 기억 저편에 있는 것들을 강사님들께서 실타래 앞을 풀어줄 때 살살 풀어지는 추억들이 회상되면서 문자화 될 수 있는 기회의 장을 마련해 주셔서 감사함을 느낀다.

시작하자 끝이라고 2달 동안 함께 한 사람들이 있었기에 끝까지 마무리 잘 할 수 있었다. 개성 있는 학습자님들 함께 해서 즐거웠으며 강사님들 노고에 감사함 마음을 전합니다.

모두 수고 많으셨습니다.

우리는 일 년 후면 다 잊어버릴 슬픔을 간직하느라고
무엇과도 바꿀 수 없는 소중한 시간을 버리고 있다.
소심하게 굴기에 인생은 너무나 짧다.

\- 카네기

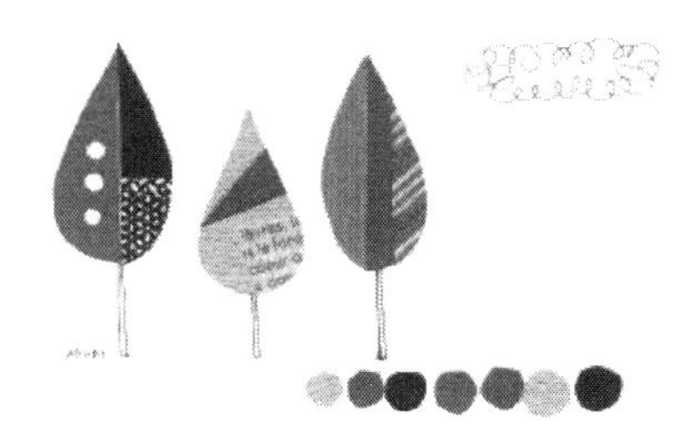

매일 새로 태어나는 여자

– 이미경*)

✣

어릴 적 기억이 그리운 아이

내가 태어난 곳은 반야월에서 떨어진 반야월 초등학교 분교장 사택에서 태어났다. 너무 산골이어서 밤이 되면 화장실도 못가고 요강단지를 방안에 두고 돌아가면서 오줌을 누고 웃고 하였다. 지금도 어렴풋이 생각나는 화장실행은 너무나 무서운 공포영화를 보는 것 보다 더 무서웠던 내 어릴 적 최고의 고행이었다. 화장실 갈 적마다 울면서 볼일 본 기억이 난다.

6살 즈음에 반야월 시장 쪽 후미진 쪽방으로 이사 와서 아버지가 학교에서 가져온 지금의 분유맛 나는 우유덩어리를 녹

*) 1965년 12월 출생

여서 끓여 먹던 기억이 내 맘을 아프게 한다. 아버지의 박봉의 월급으로 6식구가 먹고 살기에는 너무나 빠듯하여 용돈이라고는 한 번도 받아본 기억이 없다. 엄마가 저축하라고 준 10원이 내 저축통장에는 8원, 9원, 7원이라는 금액이 적혀 있는걸 보면 2원, 1원으로 학교 앞 문방구에서 불량과자를 사 먹었던 거 같다.

아버지가 퇴근해서 돌아 올 때까지 행여나 맛있는 거 사오려나 하는 기대로 5명의 우리가족은 대문 쪽에 온 신경을 곤두세우고 있었다. 그때 술을 한잔 하시고 들어오시던 아버지의 장난끼가 미쳐 걷어오지 않은 이불을 뒤집어쓰고 들어오면서 '밥 좀 주이소. 배가고파서 내가 죽을 거 같아요.' 거렁거렁한 목소리로 동냥하면서 거지흉내를 내는 아버지, 울고불고 북새통이었다. 엄마랑 우리 형제자매들은 아수라장이 되어버린 분위기에 얼마나 울었던지 뒤늦게 아버지의 웃음소리에 우리는 더 크게 울면서 한바탕 난리였다.

✣

청개구리는 내 친구

나의 어린 시절은 맹목적이고 부모님의 염원대로 따라다니는 영혼도 없고 꿈도 없는 아이였다. 부모님의 무조건적인 사랑에 염증을 느끼면서 언제가 부터 내 깊은 맘속에서 뭔가 꿈틀꿈틀 움직이기 시작했다.

어릴 적부터 고집은 세지 않았지만, 청개구리 같은 기질이 있어서 동으로 가라하면 서로 가고 공부하라 하면 친구들이랑 동네 구석구석을 숨고 다시 찾고 하는 숨바꼭질 이 엄마 속을 얼마나 뒤집어 놓았을까 하는 맘이 지금 생각하니 괜스레 미안해진다. 밤늦은 귀가로 엄마의 잔소리를 한여름 장대비처럼 정신없이 뒤집어 쓴 기억이 새록새록 나는 건 지금 느낄 수 있는 나만의 행복여운이라 하겠다. 마냥 유달 시리 별나고 못 땐 소가지가 그때 내가 버틸 수 있었던 힘이었던 거 같다.

2남 2녀의 셋째로 유독 부모님 말을 거역하기를 밥 먹듯 하는 그런 조그마한 여자아이...

나를 제외한 우리 형제자매들은 우등생이고 모범생이었으나, 나는 부모님의 골칫거리였다. 다들 대학4년제에 입학해서 부모님 기대에 어긋나지 않은 평탄한 삶을 살아가고 있지만 나 혼자만 전문대를 나와 우리 집안의 수치라는 말을 간혹 듣곤 했다.

내가 전문대를 일찍 나와 직장 생활을 할 때, 계속 공부하는 오빠, 언니, 남자동생과의 편견으로 밤이면 밤마다 이유 없는 서러움에 울면서 잠을 설친 날들이 많았다.

집보다는 직장이 더 편하고 좋아서 직장에서의 일에 내 혼신을 다했다. 식품유통회사에 취업을 해서 인정받고, 남자직원들보다 더 인정받고 내모든 능력을 맘껏 발휘하다보니 회사자금관리를 도맡아 하는 최고의 신임을 얻었다.

집에서는 인정받지 못한 구박덩이 아이가 회사에서는 업무를 능숙 능란하게 하는 멋진 여직원이었다. 내 인생 처음으로 맞은 전성기였다고나 할까?

그때 생각하면 왠지 내 몸속에서 뭔가 꿈틀꿈틀한다.

뭐든지 무슨 일 이든지다 잘할 수 있는 용기가 절로 생긴다.

결혼을 하고도 계속 근무 해줄 것을 권유 받았지만 결혼생활에 충실 하고파 그만두고 나온 직장생활이 지금 생각하면 많은 여운이 남는다. 한번 씩 울컥 올라오는 열정, 일이 하고 싶다는 막연한 생각이 나를 힘들게 했다.

연애 7년 하면서 결혼할 수밖에 없는 나 자신과의 약속을 지키느라 부모님의 반대를 무시하고 결혼에 골인했다. 남편의 사고로 쉽게 아이가 우리 곁에 올수 없다는 상황이 하루아침에 뒤 비껴서 예쁜 딸과 늠름한 아들이 우리의 울타리로 들어왔다. 연년생으로 두 아이를 출산하고 나니 뭔가 해야지 하는 불안감에 나의 내면에 숨어있는 경제적 활동의 잠재력이 꿈틀거리기 시작했다. 하여 큰아이는 세 살 둘째아이는 두 살 갓 넘은 너무나 어린애들을 어린이집에 맡기고 내 남은 열정을 어찌 주체하지 못하고 편의점을 시작했다. 나의욕심과 열정만으로 시작한 편의점은 IMF라는 큰 벽에 부딪혔고, 24시간이라는 업무시간에 같이 힘 합쳐 도와주던 시댁식구인 시누와 시동생들이 하나둘씩 자신들의 자리로 돌아가 버렸다. 적잖은 배신감으로 속상해 하면서 편의점을 운영해 나갔다.

그 과도한 업무시간이 감당하기 힘들어 부부싸움을 밥 먹듯 하며 허덕일 때 때마침 어머님의 뇌출혈로 쓰러지면서 온 집안 식구들이 멘붕 그 자체였다.

5남매 맏이인 애들 아빠의 삶의 무게가 나에게로 전가되어 하루하루를 어찌 보냈는지 지금 생각하면 먼 나라 얘기 같다.

긴병에 효자 없다고 서로를 원망하고 서로 잘했다고 하면서 상처주면서 보낸 시간들이었다.

그나마 시아버지의 극진한 어머니의 사랑이 우리자식들의 빈자리를 채워주셨다. 시아버지는 우리 자식들 서로를 미워하고 질타하고 할퀴면서 책임 전가하게끔 하는 영혼 없는 말들이 돌고 돌아 자식들 사이를 갈라 놨다.

큰 아들집에서는 이래서 싫고 둘째아들집은 저래서 힘들고 셋째아들은 당신 닮아 마누라 말이라면 꼼짝 못해서 싫고 넷째아들은 장가 안가서 당신들을 부양하기 힘들어하는 모습이 싫고 하나밖에 없는 딸은 딸이어서 안되고 하면서 이런저런 푸념과 돌아오지 않는 자식 사랑의 대가의 기대치를 욕심내다가 여기저기 자식 집 떠돌아다니는 세상에서 가장 초라한 아버지였다. 오른쪽 마비의 후유증인 어머니의 뇌출혈로 온 집안은 벌집을 쑤셔놓은 듯한 그 말 그대로 지옥 그 자체였다. 시어머니의 부재로 오는 형제간의 갈등이 너무 심해서 사이좋은 4형제의 난 이라 할 만큼 서로의 골이 깊어졌다. 잦은 말다툼이 서로를 힘들게 했다. 서로를 벼랑 끝으로 내몰고 갔다.

두 분이 그래도 그나마 자식 중에서 가장 편하게 생각한 둘째집에서 당신 두 분의 마지막 여생을 보내겠노라 선언하시고는 그것도 잠시 힘들다, 힘들다 외치시다가 극단의 선택을 하셨다. 둘째 네가 출근하고 이제껏 준비해둔유서를 남기고 번개탄이라는 것으로 두 분의 생을 마감하려 했다. 하늘이 허락지 않아 목숨은 건졌지만 그 후유증으로 어머니는 치매이고 아버지는 위암에 마지막으로 패혈증이라는 진단으로 약간의 시간을 허락하고 그 한 많은 세상을 등지셨다.

어머니는 요양병원에서 자식도 못 알아보고 그냥 저냥...

✣

되돌리고픈 내 삶의 그 자리

나는 사랑다운 사랑을 해보지 못했다. 영화나 TV속 드라마에 나오는 주인공들의 절절한 사랑을 아직 해보질 않아 아직도 그 사랑을 기대하고 있는지 모른다. 아마도 지금의 내 나이에는 아니 내 인생에서는 이루지 못할 염원일거라 생각한다.

어릴 적부터 언니랑 나를 무지 편애 하셨다. 무조건 언니만 좋아하는 엄마, 아버지와의 사랑을 질투하는 것 같은 엄마, 나는 전문대를 나와서 직장 다니면서 고생하는데 언니는 대학 졸업 후에도 직장생활을 한 번도 하지 않고 집에서 신부수업만 하다가 지금의 형부를 만나 결혼을 했다. 차별하는 엄마가 너무 싫어서 엄마를 얼마나 싫어했던지...

대학 신입생 환영회 옆자리에 앉아서 나에게 말을 걸어오는 꺼벙한 남학생이 내 아이의 아빠가 될 줄 그때는 몰랐다. 84학번이었던 나는 옆에서 나를 무작정 졸졸 따라다니며 중앙도서관에서 공부하고 있는 나에게 맛난 밥이랑 커피로 내 환심을 유도했다.

나랑 친한 학과 친구들에게 다이너마이트 일명 다이제스티브 비스킷을 들고 와서 지원요청을 했다. 그래도 나는 꺼벙이가 별로였다. 친구들의 집단으로 꺼벙이를 멋진 놈으로 나에게 밀어붙여서 그냥, 그냥 친구도 아닌 연인도 아닌 캠퍼스 커플로 지냈다. 집에서는 애정 없는 외감으로 나 혼자만의 독립성을 갈구하던 나에게 단비 같은 꺼벙이, 그래서 그나마 마음의 위안을 얻으면서 캠퍼스 생활을 즐겼다.

꺼벙이의 집안환경이 그다지 별로였다. 고향이 전라도에 무지 가난한 5남매의 맏이에 나보다 한살적은 꺼벙이는 그냥 내 눈에는 구질구질 그 자체였다. 자식들의 교육환경을 찾아 대구로의 전향, 이건 아니다 싶을 즈음 나라에 부름을 받고 군 입대했으며 난 이별 준비를 했다.

나보다 한 살 적고 고향이 전라도인 5남매 맏이에 가난한 촌부의 아들, 그냥 내 친구로서는 멋진 꺼벙이이지만 우리 집에서는 너무나 바닥인 내 남친이였다. 군대 가기 전까지는 아무 말 없이 지켜만 봐주던 부모님이 꺼벙이가 군에 입대했다하니…

"이제는 정리해라. 그놈은 아니야. 니는 그놈한테 시집가면 니 고생문이 열렸다. 우짤라고 니가 그 가시밭길로 갈라 하노? 뻔한 말로 그놈이 뭐 볼 거 있다고 그러냐 어쩌고저쩌고…"

매일 듣는 엄마의 지겨운 레퍼토리에 나 혼자만의 인내심이 한계에 부딪혀 이별 선언을 한 86년 4월 어느 날, 내가 보낸 마지막 이별편지를 받지도 못하고 86아시아게임 전두환 대통령 진해로의 호의작전, 그곳에서의 교통사고는 차가 전복되어 군인들이 많이들 다쳤다고 한다. 그중에서 꺼벙이는 중태였다.

군용버스에서의 전복사고로 엉덩이뼈가 박살나고 요도가 파열되고 남자로서는 끝일만치의 극한 상황까지 갔다. 이미 나는 이 꺼벙이에게 이제 우리 그만 하자고 편지로 내 맘을 전했는디, 그 편지는 받지도 못하고 작전 나가서 사고가 난 것이다.

그 친구가 의식이 없는 상황에서 나를 찾는다 한다. 이를 어쩌누 나는 그 친구를 내 맘속에서 버렸는디...

부산 수영육군통합병원에 입원해 있다고 한다. 미래의 내 시아버지가 나를 찾아와서 한번만 당신 아들 보러 가주면 안 되냐고 한다. 중태라고 한다. 내 머리에서는 '아니다'라고 하지만 가슴에서는 우째 한번은 가봐야지 하고 나의 양심을 건드린다. 그래 한번만 가보자 얼마나 힘들 것이며 내가 안가면 나쁜 맘 가지면 우짜노 그런 맘 안가지게 내가 가서 힘낼 수 있게 해주자하는 내 여린 맘이 꿈틀꿈틀 한다. 이번 한번만 가고 다시는 뒤 돌아 보지 않을 거야 나한테 다짐 또 다짐하면서 부산행 열차에 몸을 실었다.

가지 말았어야 했다. 그 모습은 참 가관이었다. 요도가 파열되어서 온몸이 시꺼멓게 탄 얼굴이 누리끼리하게 똥칠한 모습으로 이빨만 하얗게 해서 웃는다. '왔나?' 나랑 같이 간 부모님은 뒷전이고 나한테 눈이 다 와 있는 꺼벙이...

내 혼자 보기 아까운 정말 어리바리한 꺼벙이였다. 군통합병원의 군의관이 나보고 이제는 오지 말라고 이 남자 앞으로는 남자구실 못할 수도 있다 그러니 그냥 동정심은 버리고 나 갈길 가라고 조언을 한다. 그래 오늘이 마지막이야 이제 이 꺼벙이는 내가 손절할 놈이야...

머리에서는 손절한 놈이 일요일만 되면 나는 부산행 열차에 몸을 싣고 있다. 빌어먹을 그놈의 간절한 눈동자, 자석에 끌리듯 나도 모르게...

엄마가 절대 가지마라 니 신세 망친다하면서 내 신발을 감추고 난리도 아니었다.

이놈의 동정심인지 연민인지 모를 것이 나를 가만 놔두지 않았다. 지금 생각해보면 그때 손절했어야 했다.

지금 그 손절한 놈이 내 아이의 아빠가 된 거다. 이 꺼벙이 내가 아니면 누가 구제해줄까 하는 동정심도 아니고 연민도 아니고 뭔지 모를 이유 같지 아닌 이유로 나는 그냥 아무 생각 없이 앞만 보고 나아갔다.

그때 그냥 뒤돌아섰어야 하는데 손절했으면 그만이지 왜 발목 잡혔을까?

지금 생각해도 의문이다.

그래도 결혼 후에 잠시는 행복했다. 편의점 시작하고 힘들 때 이 꺼벙이 내가 용서할 수 없는 사고를 쳤다. 도저히 용서 안 되고 이해 안 될...

얼마나 힘들고 머리가 아파서 뽀사버리고 싶었는지... 후회가 된다. 그런데 그냥 그때 손절했다면 내 두 아이가 이 세상 구경 못했을 거지... 우리아이들에게는 미안하지만 정말 후회된다.

그냥 86년 4월에 손절했더라면. 그럴 것을...

어릴 적 말라깽이였던 내가 지금은 다이어트를 내 그림자처럼 친구가 되어있다. 밥 안 먹는다고 엄마한테 혼나가면서 꾸역꾸역 먹었던 밥상이 나를 무척 힘들게 했다.

요즘 간간히 만나는 학창시절 때 친구들이 지금 나의 모습을 보고 깜짝 놀라서 짧은 비명을 질러 된다. 어릴 적에 몰랐던 건강에 대한 관심이 지금의 건강염려증으로 발전되어 왔다.

초등학교 때 엄마의 쓸개절개수술을 하면서 간이 손상시킴을 나중에서야 알았다. 간을 손상시킨 의료사고로 엄마는 간암에 뇌종양에 췌장암으로 까지 전이가 되어 일찍 우리 곁에서 멀리 멀리 가셨다. 아버지마저 엄마 없는 빈자리를 견디지 못하고 1년 반 만에 따라 가셨다.

엄마의 죽음으로 인해 나만의 방에서 알코올의 힘을 빌려 살다가 이대로는 아니다 싶어 운동을 하고 마냥 걷기도하고 산에도 가고 별의별짓을 다해봤다.

부모님의 건강상태가 안 좋아서 나 자신의 건강에 대한 관심도가 높아진 거 같다. 편식하고 안 먹던 고기도 먹고 움직이기 싫어서 꼼짝도 않고 누워 있는 걸 좋아 했던 나는 운동을 하고 싶다는 생각, 엄마처럼 아프지 말아야지 하는 생각이 내 맘속 깊은 곳 어디에선가 올라오기 시작했다. 내 몸은 내가 지키자. 내가 최고 우선이다. 그 누구도 내 건강을 내 삶을 내 모든 걸 대신해 줄 그 무엇도 없다. 내가 주인공이다.

그래 다 내려놓고 쉬자.

내가 열심히 살고 최선을 다하며 살다 보니 두 아이는 내가 생각 한 거보다 더 착하고 멋진 아이로 성장했으며 멋진 배필을 만나 서로의 삶의 보금자리를 일구고 살고 있다.

이제는 그 누가 봐도 편안한 결혼생활을 하며 서로에게충실한 배우자가 된듯하다.

25년 동안 계속장사하고 두 아이를 짝지어주고 열심히 달려온 나에게 이제 너 그만 좀 쉬지 하면서 나 자신한테 유혹을 해본다. 이제 그만쉬면 어떨까 하면서 최면을 걸어본다. 하여 모든 걸 정리하고 힐링차 울릉도로의 여행길에 몸을 실었다. 코로나19와 동시에 시작한 내 마음대로의 삶은 아직도 진행형이다.

뒤늦은 만학도의 꿈이 자꾸만 자꾸만 커져만 간다. 남들은 그냥 여행이나 다니고 맛난 거나 먹으러 다니면서 힐링하고 살면 좋을 건데 왜 그렇게 나를 혹사 시키냐고 한다. 주인 잘못 만난 내 몸뚱이에게 조금은 미안하지만 어쩌겠노 내가 하고픈 건 무조건 해야 하는 내가 좋은 것을 뭔가 배울 거 없나하고 여기저기 기웃거리면 나 혼자 행복한 미소를 지어본다. 내가 염원하는 일에 한걸음씩 나아가는 나 자신에게 격려해주고 있다. 잘하고 있노라 앞으로도 열심히 걸어가라고 응원한다. 거울 속에 비추어지는 내모 습이 항상 밝은 모습은 아니지만 나는 나 자신에게 밝게 웃으라고 말해준다. 마음속으로...

내 인생의 가치는 뭘까? 내가 가장 중요시 하는 게 뭘까? 나에게 물어본다.

그건 아마도 경제적인 안정을 다지고 싶은 것이다. 내가 하고 싶고 염원하는 모든 것들을 현실화 하려면 안정된 나의 자립이었다. 나이가 들면 바뀔 것 같았는데...

아무것에도 의미를 부여하지 않고 살아오던 소녀에게 한줄기 빛을 준 신길주씨...

욕심, 욕망, 내가 내 것을 가지려고 내손에 움켜쥐면 내 것이 하나도 없다. 욕심을 버리고 모든 걸 다 놔버려라 그러면 다 내 것이다. 이세상의 공기를 내거라고 어느 공간에 집어넣을 수 있나? 없지 않는가?

그냥 그대로 둬라 그러면 다 내 것이다.

내가 누리는 경제적인 안정으로 나를 필요로 하는 이에게 나의 힘을 나눠 주고 싶다. 그것이 무엇이든, 내 자그마한 소망이다.

내 생각이 다른 이에게 비추어질 모습이 웃기는 개소리 일지 모른다. 서로의 가치관이 달라 나를 비웃고 가식덩어리라고 할 수 있겠지만, 나는 그래도 내 미래의 모습을 그려본다.

내 미래의 모습이 멋있게 보여지는 모습이 아닌 내실이 꽉 찬 멋진 여자...

나누는 삶.

베푸는 삶.

내 인생의 마지막 숙제이다.

지금도 아주 조금씩, 조금씩 실천하는 나

아니 한걸음씩 걸어 나아가 본다.

나는 아직도 자라고 있다.

- 이정윤*)

✣

나의 일과 역할

어린 시절 특정된 꿈은 있지 않았다. 근면하지만 자율성이 없는 삶이었다. 모친이 계시지 않은 사춘기 이후의 삶은 꿈을 꾸기에는 사치였던 생활이었다.

고등학교 졸업 후 가진 첫 직장은 새마을금고였는데 지금은 자리 잡은 서민금융기관으로 역할로 자리매김했지만, 30여년 전 그 당시에는 농협과 새마을금고는 매우 열악한 근무환경이었다. 지금도 당시 같이 근무했던 언니, 동생들과 연락, 만남으로 당시 에피소드로 웃음꽃을 피운다. 결혼 전까지 만 8년 정도 근무였다. 결혼 후 두 아이를 키우면서 별다른 요건이 없는 상태에서

---

*) 1970년 9월 출생

근사한 직업은 아니지만 작은 법인 사업체의 행정업무를 보았다. 여러 일을 겪었다.

생각해 본 적이 있다.

결혼 전 다니던 직장을 그만두지 않고 결혼과 상관없이 그대로 다녔다면 지금 나의 직위와 경제적 여유를 얻지 않았을까?

둘째가 초등학교 들어서고 나서 다시 시작된 사회생활이 지금껏 이어지고 있다.

다시 새마을금고를 1년 근무 후 여행사에 근무하게 되었다. 급여는 많지 않았지만, 다양한 경험을 하였다. 계약, 서류정리, 출장 등등 반복된 일상에 만족하지 못한 나는 발견하게 된다.

학업에 대한 갈망이었던 것이다.

대구공업대 사회복지학과를 입학하였다. 졸업 후 계명대 행정학과 편입해 2년 성적 장학생으로 잠재워져 열정이 분출된 시기였다.

✣

나의 사랑 시어머니

다양한 사람을 사랑하였다. 이성도 있었다. 친정 모친도 너무나 사랑한 분이었고, 사랑하는 우리 아이들, 남편 등...

나를 진심으로 사랑해주고, 내가 기댈 수 있고, 사랑한 사람은 남편이다. 남편을 통해서 진정으로 사랑하는 법을 배운 것 같다.

약간은 고집스럽고 융통성 낮은 나를 남편은 온전히 사랑해

주었다. 나를 있는 그대로 바라봐주고 있는 그대로 받아 주었다.

남편은 시어머니를 많이 닮았다. 시모님은 사리 분별이 밝고 집안의 존경을 받고 계신다. 인고의 세월을 살아오셨음에도 사람이 해야 할 일을 정확하게 아시고 생활하신다.

나는 친정엄마에게서 배운 것보다 시어머니에게서 배운 것이 더욱 많다.

갓 결혼해 같이 살면서 반찬 하는 것을 하나하나 설명과 함께 일일이 가르쳐 주셨다.

마치 당신의 딸에게 하듯이...

여러 해를 거듭할수록 나는 시어머니께서 뜻하시는 바를 거부감이 자연스럽게 따르고 있었다. 우리 아이 둘도 손수 산후조리 해주시고, 나에게 참으로 많은 것을 주셨다.

당신이 살아온 세월 긴 한숨을 긴 겨울밤같이 김장 준비를 하면서 나에게 참으로 많이 풀어내셨다.

그렇게 시어머니는 나에게 녹아들었다.

처음 인사드리러 간 날부터 시부모님들은 나를 가식 없이 이뻐해 주셨고, 나는 그분들의 맏며느리가 되었다.

지금도 한결같으시다.

대소사를 언제나 남편보다 나에게 의논하신다.

남편은 시부모님과 스스럼없이 지내는 나를 신기해한다.

나는 시어머니께

'어머니처럼 나의 며느리에 잘해 주지는 못할 것이다'라고 농담처럼 말 하곤 한다.

✣

신체와 정신

나의 유년 시절은 병약했던 것으로 기억된다. 초등 1학년 1학기를 잦은 감기로 학교 수업을 많이 빠진 기억이 있다. 감기를 늘 달고 살았던 것이다. 지금도 감기에 민감하게 반응하여 감기에 걸리지 않으려고 신경을 쓰고 있다.

고 3때 맹장염을 제거 수술 외에는 큰 병을 앓은 기억은 없지만, 중1 엄마의 갑작스러운 부재로 마음에 깊은 상체기가 생겨 아물지 못하였다.

마음의 깊은 상처는 나의 온 삶을 흔들어 놓았다.

육체적인 건강도 중요하지만 정신적인 건강 또한 중요함을...

두통을 늘 달고 살았다.

내가 등산을 시작한 이유도 오래 동안 지속된 두통 때문이었다.

유아 스트레스와 결혼생활, 사회생활 등 다양한 스트레스가 두통과 무기력으로 나타났다는 게 나 스스로의 분석이다.

두통은 육아로 나만의 시간을 가지기 어려운 시간 동안 계속되었고, 육아에서 벗어난 이후부터 돌파구로 등산을 시작하였다. 결혼 전 취미로 등산을 가끔 한 기억으로 접근하기 좋은 등산을 다시 시작하였는데, 의외로 나와 잘 맞았다. 맑은 공기를 마시며, 전신 호흡을 하며 땀을 흠뻑 흘리고 오는 게 너무 기분이 좋았고 몸도 가벼워졌고, 두통이 차츰 사라지는 경험을 하게 되었고, 아이들 케어가 나의 손을 조금 벗어난 큰아이가 중 1정도부터 본격 등산은 시작되었다. 한 걸음도 움직일 수 없을 정도로 걷고 와도 기분이 좋았다. 등산은 맑은 공기가 전신 혈류를 따라 나를 진정시키게 하는 나에게는 수양과 같은 취미가 되었다.

그룹 등산, 소규모등산, 2인 등산 등 다양하게 시도되었고, 지금은 등산을 좋아하는 친구와 가고 싶은 곳을 즐기면서 다니고 있다. 등산 입문 초기에는 전투적인 산행(하루14키로, 8시간) 기본적으로 하였다면, 지금은 즐기듯이 7~8키로 정도로 하고 있다.

몸을 움직여 몸과 마음의 건강을 다 잡은 것이다.

친정 올케언니가 몸이 많이 아프다. 자신의 건강을 돌보지 않은 것이다.

나이 50이 될 때까지 흔한 기초적인 국민건강검진 한번 받지 않아 자신이 어떤 병을 가지고 있는지 인지하지 않았고 조용히 병을 키웠다. 오빠와 조카들은 근 10년째 고통 속에 지내고 있다. 정말 안타깝다. 올케는 자신의 친정 모친이 돌아가시고 갱년기가 겹치면서 우울증과 육체적인 병이 왔다고 말하는데... 건강의 중심에는 나 자신이라 본다.

주위 환경과 세상이 본인 원하는 데로 가지 않는 것은 모든 세상 사람들이 마찬가지일 것이다.

본인 스스로 자신을 돌봐야 한다. 남편, 자식 어느 누구도 돌봐 주지 않는다. 자신을 사랑한다면 그렇지 않을 텐데 안타까운 나름이다. 개방적이지 못한 성격도 병을 키운 듯하다.

정신적 건강이 육체적 건강으로 직결됨을 나의 경험과 올케의 경우를 보면 알 수 있다.

✣

고난을 이겨내고 다시 일어선다

외가의 풍요로운 집안 딸로 태어나신 엄마는 살림이 많은 외가의 특성으로 음식솜씨가 좋으셨다. 어린 시절 기억에 재료도 넉넉히 않은 시절, 봄이면 갓 올라온 쑥으로 쑥버무리기를 해주셨고, 명절이면 언니들과 엿을 고았고, 두부, 유과 등 다양한 명절음식을 만들어 우리의 유년시절 맛난 엄마의 음식을 기억하게 한다. 손재주도 좋으셔서 베개며 이불, 아버지 셔츠도 만드셨고, 엄마의 가장 큰 사치였던 재봉틀을 사셔서 나에게 나풀거리는 연푸른색 바탕에 모자 그림이 그려진 예쁜 원피스 지어 입혀주셨다. 엄마의 사랑으로 그렇게 초등학교를 다녔다. 그때를 생각하면 감정을 추스를 수가 없다.

너무나 그리운 엄마...

청명한 계절 가을 하늘 아래 시골길 색색의 예쁜 코스모스 유약했던 나, 집안의 막내로 태어나 사랑받던 나의 고난과 역경은 14세 때 부터 시작되었다. 엄마가 병환으로 돌아가셨다. 세상이 무너져 내렸다. 아무 준비도 없이 헤어져야 했다. 몇 년 간 병마와 싸우시다 변변한 약도 못 써보고 돌아가셨다. 당신을 놓아 버리듯이 퇴원해서 고향 집으로 오셨던 기억이 난다. 건강했던 엄마는 온데 간데 없었다.

엄마 껌 딱지였던 내가 엄마가 병원 생활하시는 내내 안 계신 시간들은 암울했다.

동네에서, 냇가에서, 버스정류장에서, 5일장에서 엄마 비슷한 사람만 봐도 우리 엄마인가 했다. 우리 가족 누구도 나의 마음을 달래주지 않았고, 가족 모두 각자의 위치에서 힘들어 했다.

지금은 생각하기도 싫다.

아버지가 미웠고 엄마 없는 현실을 부정하고 싶었다. 오빠, 언니들은 도시로 나가 공부를 하였고, 남겨진 나는 안하던 밥을 해서 먹고, 아버지를 챙기고 학교에 다녀야 했다.

더 어려워진 형편으로 수학여행도 갈 수 없었고, 엄마 없는 아이라는 친구들의 여린 시선이 싫었다. 아버지와 함께 지낸 시절을 지워버리고 싶다. 새 여자를 들이고 이해 할 수 없었다.

질풍노도의 사춘기를 어떻게 버텼는지...

어린 시절 그 밝던 아이는 온데 간데 없었고, 난 어두운 아이로 변해 갔다. 장학생으로 들어간 고등학교 성적은 흔들렸다. 고등학교 졸업 후 취업해 아버지와 떨어져 도시로 나와 언니, 오빠와 같이 지냈다. 이후에도 줄곧 나의 생활 깊은 곳에 부재한 엄마의 빈자리는 너무나 커 사회생활 내내 영향을 미친 듯하다.

중학교 고등학교, 남편을 만나 결혼 전까지 줄곧 일기를 썼다. 다른 곳에 말 할 수 없었고, 말하고 싶지 않았던 나만의 생활 아픔을 글로 매일 매일 썼다. 매일의 일기는 눈물로 얼룩졌다. 남자친구도 길게 진심으로 사귈 수가 없었다.

사는 게 죽을 만큼 힘겨웠다.

그러던 중 장남인 남편을 만나 결혼을 했다. 남편은 나를 끔찍이 좋아 했다. 나의 조건과 상관없이 나만을 사랑했다.

친정과 너무나 다른 분위기인 시댁은 온화하였다.

있는 그대로 나를 받아 주셨고, 따뜻했다. 늘 불안정했던 나의 삶은 결혼으로 안정이 되어갔다. '사람 사는 것이 이런 거구나' 싶었고 사랑받는 느낌이 내가 조금은 혼란스러워 할 때도 있을 만큼...

잊었던 엄마로부터 받은 내리사랑의 기억을 떠올리게 하는 시댁은 나의 온전한 안식처로 자리 잡았다.

출산 후 두 아이 산후조리를 시어머님은 손수 해 주셨다.

시어른 두 분은 우리아이를 너무나 사랑하신다. 아이들을 건강하게 자랄 수 있게 지켜봐주시고 함께 길러주신 시부모님께 감사할 따름이다.

우리 아이들이 20대 중반이 되고, 내 나이 50을 넘으니 나를 믿고 어여뻐하시는 시어머니를 생각하면 살아 계신데도 눈물이 난다. 당신의 딸보다 내가 더 편하다고 하신다.

가끔씩 어머님, 아버님은 말씀하신다. 자신의 인생에 제일 행복했던 시간은 모두 한집에 살면서 태어날 때부터 우리 아이 둘 거두시고 목욕시키고 맛난 거 해먹인 시간들이었다고...

그 시간들이 고된 어른들의 삶에 조금이나마 위로가 되었다면, 내가 받은 사랑이 보답이 되었으면 한다.

삶은 그냥 살아지는 게 아닌 것이다.

사랑으로, 사랑으로 이어짐을...

✣

변화를 준 친구

그 친구와의 만남은 27여 년 전으로 기억된다. 나는 그의 직장 선배사원이었고, 그는 대학을 졸업하고 입사한 나보다 3세 연상으로 신입사원으로 입사하였다. 같이 근무한 시간은 3년차쯤, 조직의 책임자가 그 친구는 대학을 졸업하였고 남자라는 이유로 승진을 시켰고, 나는 여성이며 곧 결혼을 하고 이후 전 근무 여 선배들의 절차처럼 퇴직을 한다는 전제하에 승진에서 배제되었다.

나는 경력과 실무가 그 친구보다 밝음에도 승진에서 입사 3년차 땜에 밀림에 분노와 꽉 막힌 조직문화에 회의를 느껴 직장 책임자와 한판하고 사귀고 있던 지금의 남편과 결혼하였다.

세월이 흐르면서 그 친구와 같은 지역에 생활하다보니 세월이 흘러도 볼 수 있는 여건은 지속 되었고, 자신과 조직을 위해 열심히 살고 있는 그를 볼 수 있었다. 본인이 가지고 있는 지위에 안주하지 않고 열심히 새로운 것을 시대에 발맞추어 배우고 학습하여 조직에 접목하려 하고 있었다. 그러한 그의 모습이 나에겐 자극이 되었다.

직장 선배였다는 이유로 본인이 연봉이 나보다 많다는 이유로 밥값, 술값은 본인이 언제나 계산하였다. 배움에 대한 갈망이 내재되어 있던 나로서는 그의 그런 생활태도가 자극이 될 수밖에 없었다.

그렇게 시작되었다.

사회복지사 공부를 시작으로 그는 많은 지지를 해주었으며, 행정학과 편입에 대한 수업료와 수업에 대한 부담감을 여러 가지 조언으로 희석시켜 주었으며, 공부를 계속할 수 있게 '넛지'를 가하여 주었다.

평생교육사 공부도 앞으로의 사회에서 평생교육을 중요성을 알고 그가 이미 자격증을 보유하여 조직에 유용하게 쓰이는 있는 것을 알고 나도 시작하게 되었다.

이 공부 또한 사회복지 공부와 흥미롭고 재미있게 하고 있다. 이렇게 공부를 함에 다양한 층의 사람들도 만나고 자아실현을 위하여 열심히 사는 분들을 만날 때 힘이 되었고, 배움에 대해 나이를 거론함은 옳지 않음을 이론이 아닌 눈으로 볼 수 있는 몸소 체득한 경험이 되었다.

각자의 위치에서 자신의 발전을 위하여 차곡차곡 계속 전진하고 있는 분들을 만남에 나에게 많은 자극이 되고 있다. 또한 이런 활동이나 배움을 통해 내가 알지 못하는 흥미로운 삶이 나의 앞날에 펼쳐질 수 있음을 고대하고 희망한다.

다시 배움

집안의 막내로 태어난 나의 어린 시절, 시골에서 생활의 생활은 크게 놀이 문화가 발달되지 않았다. 여름이면 냇가에 멱 감으러 가고, 봄 · 가을이면 산으로 들로 야생의 간식을 찾아 놀이 삼아

돌아다녔다. 겨울이면 한 친구 집 방 아랫목에 모여 고구마, 무 등의 간식으로 놀곤 하였다.

요즘같이 TV나 인터넷이 없던 시절이니 종이인쇄로 된 책을 볼 수밖에 없었다. 다행히 언니들이 많아 보는 책들이 다양하고 양이 제법 되어 내 나이에 읽기에는 이해도 잘 안 되고 버거운 책도 있었지만, 지금은 그렇게 읽은 책이 적지 않은 양이었음을 알게 되었고, 학교에 가서도 책 참 많이 봤던 걸로 기억된다. 어린 시절 시골에서의 책은 상상을 나래를 펼 수 있는 유일한 친구였다.

성인이 된 후 까지 여러 권의 일기를 썼다. 엄마가 병환으로 집에 안 계실 때부터 시작하여 일기장에 나의 모든 일상과 감정들을 써 내려 갔다. 서러움 기쁨 서글픔 세상에 대한 분노 등등. 남편을 만나기전까지 남에게 할 수 없던 나의 모든 내재된 감정을 일기장에 쏟아 부었다.

남편을 만나고 결혼이 결정되고 나서 나는 남편과 함께 나의 친구 같았던 일기장을 떠나보냈다. 남편에게 양해를 구하고 나의 마음을 전한 뒤(태우는 이유) 성서공단 조성되기 전 공터에 가서 십여권이 되는 일기장을 다 태웠다. 내가 가진 어두운 감정들을 일기장을 태워 잊고 떠나보내고 싶었던 것이었다. 묻은 감정들을 결혼과 같이 가져가고 싶지 않았던 것이다.

기록된 일기장을 한 번씩 보았을 때 초반기의 일기장보다 일기장 권수가 늘어날 때마다 어휘와 문맥이 화려해졌다. 내가 기록했음에도 나에게 이런 글을 쓸 수 있는 능력이 있었나 싶을 정도로 필체는 살아 있었다.

글을 쓸수록 실력이 늘어남을 그때야 알았다. 글을 쓰면 쓸수록 글이 풍성해지고 있었다. '내가 이런 감정을 이런 표현으로 글로 남겼구나.' 신기할 때도 있었다.

결혼 후 아이들을 키우고 사회생활을 다시 시작하면서 인문학을 접하게 되었다. 다양한 인문학 강의가 풍성하던 때 3년 정도를 인문학에 심취해 시간을 쪼개어 강의를 들으러 다녔다.

내재되어 있던 학습에 대한 열망은 이때부터 피어오르기 시작한 것 같다. 친구들은 어떻게 몇 시간을 앉아 있냐고 반문하였지만 나는 인문학 강의가 너무나 재미있었다. 이런 인문학 학습이 배경이 되어 사회복지 공부로 이어지고 계속된 공부에 적지 않은 도움이 된 것 같다.

누구나 겪는 이별이기에

죽음은 누구에게나 찾아온다. 이별인 것이다

죽음이라는 두 단어에 대한 생각은 어릴 적 생각과 지금은 많이 다르다. 어릴 때에 죽음 = 슬픔, 아픔, 눈물이라는 단어가 되었지만, 지금은 죽음에 대한 느낌은 편안함, 미소, 쉼 이라는 단어가 떠오른다.

나도 삶을 조금 살았나 보다.

나의 어린 시절 첫 이별은 집에서 키우던 예쁜 강아지 '복실이'였다. 작고 앙증맞은 몸집과 까만 눈에 꼬리를 살랑살랑

흔들면서 우리가족의 귀여움을 독차지한 강아지였다. 까만 눈은 지금도 눈에 선하다. 복실이는 어미개가 낳은 여러 강아지들 중 이웃에게 나눠주고 우리 집에 남은 유일한 강아지였다. 학교에 갔다 오면 쪼르르 나를 반겼고 나는 복실이를 안고 던지고 강아지와 장난을 하며 놀았다. 그런 강아지가 어느 날 학교에 다녀왔는데 기척이 없었다. 반기던 시끌한 소리가 없었다.

쥐약을 먹고 죽은 것이다. 그 시절 동물들에 흔히 있는 일이었지만 우리 복실이에게 그런 일이 일어날 것은 예상하지 못하였다. 나에게 큰 슬픔이었다. 이후 강아지 복실이 이야기는 내 앞에선 금기시 되었다.

내 나이 14세 때 모친께서 병환으로 돌아가셨다 어린 시절 내가 보기에 엄마는 일을 너무 많이 하셨다. 해야 할 일이 너무 많은 시골 살림에 아픈 것도 참으면서 일을 하시다가 병을 키우신 것이다. 근 40년 전이라 지금처럼 의학기술이 발달하지 않은 시절이라 엄마의 병은 병원에서 치유하기 어려웠던 것이다. 몇 번의 수술시도 후 별 차도는 없으셨고, 넉넉지 않은 시골 형편이 부담도 되셨을 것이다. 머리 숱이 다 빠져 가발을 하시고 엄마는 고향 집으로 퇴원하셨다. 나는 그때까지만 해도 병이 어느 정도 나아서 퇴원하시 줄 알았는데 그 반대였던 것이다.

엄마는 회복이 어려운 아프신 몸으로 어린 우리들을 보면서 참으로 많은 생각을 하셨을 것 같다. 당신의 병이 불가능함을 아시고 절망감에 마음이 얼마나 아팠으면 얼마나 외로웠을까...

마음이 쓰라린다.

꼭 안아드리고 싶다. 엄마가 돌아가신 나이가 지금 나의 나이와 많이 차이 나지 않음을 알 때 참으로 많은 생각이 든다. 여자의 한을 안고 엄마는 돌아가시었다.

어린 나는 그 큰 슬픔과 맞설 수 없는 나이였다. 넉넉하지 않은 집안으로 시집와 낮에도 일하시고, 밤 달빛에도 논일을 하시었다. 당연 곱던 손은 투박해지셨고, 손톱이 닿아 손톱 깍지 않아도 될 정도로 열심히 사셨는데 재산도 그다지 늘지 않았고... 그렇게 열심히 생활하신 엄마였던데 하늘도 무심하시지.

어린 자식들을 두고 가시는 길이 얼마나 무거웠을까? 억장이 무너졌을 것이다. 그 마음을 보듬어 드리고 싶다.

안아드리고 싶다.

그렇게 건강을 헤 칠 정도로 일 안하셔도 되는데 남편에게 마음 상처 받아가며 안 사셔도 되는데 불쌍한 우리 엄마!

풀 수 없었던 한이 병이 되었던 것이다.

그렇게 바지런하게 안 사셔도 되는데, 견딜 수 있을 만큼만 하시지. 힘들다는 말도 못하시고...

어린 시절 나는 나의 슬픔만 생각했지 한 여자로서 엄마가 얼마나 많은 한과 짐을 지고 가셨을지 헤아리지 못했다. 그렇게 엄마를 그리며 운 날이 많았는데 나의 처지만 생각했지 엄마를 진정으로 위로하고 애도하는 적은 최근이었던 같다. 죄송할 따름이다.

죽음이란 단어는 지난날 나에게 슬픔 아픔이었지만 지금은 다르다. 삶의 끝에 미련 후회를 남기지 않으려 우리 가족들 많이 사랑하고, 내가 하고 싶은 공부하고, 그러련다. 미소로 내가 떠날 수 있고, 후손들이 손 흔들며 미소로 보낼 수 있게...

✣

삶의 깨달음 전해주기

나의 사랑하는 아들들에게

엄마가 살아보니 현재의 삶은 누가 만든 것도 아니고 바로 내가 만든 것이더라. 살면서 어려운 결정을 하게 될 때 이 말을 기억하렴.

선택을 했으면 자신의 결정을 믿고 열심히 최선을 다하며 자신을 도모하길 바란다. 누구를 원망하기 이전에 선택의 순간에 나는 어떤 결정했고, 그 결정에 따른 것이 오늘인 것이다. 어느 철학자가 인간의 삶은 태어남과 죽음사이에 선택이 있다고 하더라. 딱 맞은 말이다.

삶은 물 같아야 한다.

만약에 결혼을 하여 가정을 이룬다면, 너희 아빠를 생각하렴. 책임감 있는 행동으로 화합하길 바란다. 작은 추억을 만들어 주려 너희 어릴 적 계절별로 여행을 다녔고, 지금은 할아버지 할머니를 위하는 마음을 헤아려주길 바란다.

일에 관하여 자신의 중심을 지킬 줄 알고, 나의 내면에서 하고 싶은 방향의 일을 찾아 맘껏 전진하길 바라고 작은 힘이라도 사회발전에 보탬이 되는 삶을 살았으면 한다.

엄마의 소망은 너희들이 인생을 즐기길 바란다.

인생은 아름다운 것이니 선택한 일을 열심히 하겠지만, 하고 싶은 일을 시간을 내어 꼭 행동하길 바란다.

미룬다면 그 시간은 다시 오지 않는단다.

인생 후반전의 출발점에 서서

- 유은혜*)

✣

나의 가족

나의 삶에 가장 큰 영향을 주신 분은 외할머니, 어머니이시다. 가장 가깝게 느끼는 가족은 아들과 여동생이다. 나의 아버지는 군인이시라서 매우 엄하고 군기반장이셨다. 어머니께서는 충청도가 고향이신데 낙천적이고 남을 배려하시고 인정이 넘치는 분이셨다.

나는 아버지께서 강원도 화천 최전방에서 군인으로 근무하실 때 위로 세 살 많은 오빠 다음 둘째로 태어났다. 엄마가 나를 임신 했을 때 아버지께서는 아들이라 생각하시고 닭을 엄청 사다가 엄마를 드시게 했는데 딸이 태어나자 아버지께서

*) 1969년 4월 출생. 유은혜는 필명임

울려고 하셨다는 말씀도 들었다.

아버지는 상주 지주의 둘째 아들로 태어나 귀하게 자라시다 한국전쟁이 발발해 대가족이 부산으로 피난 가셔서 며칠씩 굶기도 하고 고생을 많이 하셨다고 한다.

어머니는 충청도에서 경찰이신 외할아버지와 김해김씨 외할머니의 맏딸로 태어나 젊어서 예뻐서 동네청년들에게 인기가 많았다고 한다. 외할머니께서는 당신께서 계속 딸만 넷을 낳자 첩을 직접 얻어주어 첩이 아들을 낳은 후 할아버지께서 첩집에서 생활하자 엄마 자매들은 외할아버지의 경제적 도움 없이 살며 학교 공과금을 제때 못내 선생님께 여러 번 혼이 나기도 하고 고생을 많이 하셨다고 한다.

외할머니께서 딸만 여섯을 낳았는데 엄마가 맏딸로 외할머니의 농사일도 많이 도우시고 집안일도 많이 하시고 동생들을 업어 키우셨다고 한다. 엄마가 어린 시절 집안일을 너무 많이 하셔서 나와 동생에겐 집안일을 아예 시키지 않으셨다. 어머니는 집안일을 아주 빠르게 잘 하셨다.

엄마는 고추장, 된장을 직접 담그시고 김장이나 김치도 손수 담으셔서 동생들에게 나누어 주셨다.

엄마와 아버지는 엄마의 고향 동네 오빠이신 아버지 군대동기의 소개로 만나서 결혼하셨다고 한다.

부산 친가에 계시는 할머니께서 중풍으로 쓰러지셔서 간호할 사람이 없어서 아버지께서 군대에서 퇴직하시고 부산으로 가셔서 부모님과 어린 조카들 대가족을 먹여 살리느라 신혼시절,

한 때 생활이 많이 어려웠다고 한다.

나는 위에 외동아들 오빠가 있고 막내로 귀여움을 독차지하는 여동생이 있다. 아들을 귀하게 여기는 유교적 가풍에 따라 둘째인 나는 소외감을 느끼며 자립심이 강하게 자랐다.

어릴 때 여동생과 함께 텔레비전을 보며 엄마 립스틱을 바르고 공주처럼 보이려고 보자기를 머리에 쓰고 가수흉내를 내며 텔레비전에 나오는 대중가요를 따라 부르며 소꿉놀이, 인형놀이 하며 놀았다.

엄마가 가게를 운영하시면서 바쁘셔서 나는 서너 살 경에 충청도 외할머니 댁에서 이모들과 함께 살았다. 이모들과 친지들과 육촌오빠들이 어린 조카라서 정말 귀여워하고 예뻐해 주셔서 산골생활의 여유로움을 느끼며 알프스소녀 하이디처럼 감성 풍부한 소녀로 자랐다.

그때 이후로 국민학교 입학하고 대학교 입학해서도 방학 때마다 외가댁에 가서 친지들과 방학을 계속 보내는 것이 나의 즐거움이었고 도시생활의 스트레스를 해소하고 돌아온 기억이 난다. 충청도 시골에 가면 겨울에 눈이 많이 와서 눈썰매를 타고 눈싸움도 하고 방에는 화로가 있어 손도 따뜻하게 녹이고 했었다. 부뚜막 아궁이 군불로 고구마, 감자를 구워먹고, 콩서리도 따라다니고 했던 즐거운 추억이 있다.

도로에 아스팔트가 깔리기 전에는 신작로에 버드나무 등 가로수가 참 아름다웠었다. 큰집 오빠들을 따라 경운기를 타고 산에 나무하러 따라 가서 하루해가 질 때 즘, 마을아이들과 마을 앞산 산등성에서 놀다가 해질 무렵 집집마다 굴뚝에서 김이 모락모락 올라오는 풍경을 보면 어린 마음에도 한 폭의 풍경화처럼 아름답고 정겨운 풍경이었다. 그때 그 시절에는 흑백 텔레비전도 귀해서 마을에 통틀어 텔레비전 있는 집이 두서너 집 밖에 없어서 마을아이들이 밤늦게까지 집에도 안가고 할머니댁 마루에 앉아서 텔레비전을 보고 갔었다.

실컷 뛰어놀다가 방학이 끝날 때 즘 방학숙제와 밀린 그림일기 숙제를 한꺼번에 하며 그날의 날씨를 기억 못해 어린마음에 걱정하고 고민도 많이 했었다.

어린 시절 가족에게 가장 받아보고 싶었던 선물은, 제과점 빵 선물이 무척 받고 싶었다. 어머니께서는 과일과 밥은 잘 주셨는데 제과점 빵은 거의 사주시지 않으셨고 중국집 짜장면도 먹고 싶었는데 자주 못 먹고 일 년에 몇 번 정도로만 먹은 기억이 난다. 그 시절에는 가족 외식도 잘 없었고 결혼식, 환갑잔치, 돌잔치, 제삿날, 명절날에 가족들 친지들, 동네분들이 모여 풍족하게 식사를 했었다.

부모님께서 남아선호사상으로 오빠에게 많은 재산을 물려주었는데 오빠사업이 잘 안되었고 여동생네 사업도 잘 안되어 보증을 서셨던 아버지께서 신경 쓰시다가 쓰러지시고 몇 달 응급실에 계시다가 돌아가셨다. 그이후로 오빠네와 동생네와는 사이가 서먹서먹해졌다.

나는 서른 살에 늦게 결혼을 해서 서른하나에 첫아들을 낳았는데 자연분만을 시도하다 출혈이 너무 심해 임신중절수술로 첫아들을 힘들게 나았다. 세상의 모든 엄마들처럼 어렵게 자식을 나아보니 세상의 모든 사람들이 소중하게 느껴졌다.

나의 결혼 가치관은 부부가 서로 손을 잡고 서로 도우며 살아가는 것 인데 워킹맘으로 집안일도 하고 육아도 하며 너무 지쳐가는 나 자신을 발견하고 나의 힘든 감정이 어린 아들에게도 전달되었고 어린 아들과 시간을 많이 가지지 못하고 놀아주지 못하고 여행도 자주 못간 것이 많이 후회가 된다. 세월을 다시 되돌린다면 아들이 어렸을 때 많이 놀아주고 이유식도 잘 챙겨 먹이고 여행도 많이 다닐 것이다. 내 아들은 엄마의 성격과 외모도 닮고 아빠의 성격과 외모도 닮았다. 말이 많이 없고 다른 사람을 많이 챙겨주고 예의 바르고 착하다. 너무 착래서 가끔 속이 상할 때가 있다.

우리 집 가훈은 '순간순간 최선을 다하자! 순간이 모여 인생이 된다!'이며 시간의 소중함을 일깨우기 위한 가훈이다. 아들에게 항사 학교가면 선생님 말씀 잘 듣고 아이들과 사이좋게 지내라고 했는데 아들이 화가 나도 너무 참는 걸 보고 속이 상했다.

나의 어린 시절

나는 부산에서 초등학교를 다녔다. 한 학급에 65명 이상 되고 학급수도 10반 까지 있었다. 그때 그 시절에는 한 집에 아이들도 3명 정도 있었다. 1970년대에 시골에 가도 마을에는 아이들이 많았는데 요즘은 시골에 가면 노인들만 많고 아이들이 없다.

그때 그 시절, 학교운동장에서 고무줄놀이, 그네타기 등을 하며 친구들과 지냈고 6학년 졸업하고 여자중학교에 진학하며 1학년 마치고 대구로 전학을 왔다. 초등학교 친구들 연락이 안 되어 지금까지 못보고 지냈는데 친구들이 보고 싶다.

나의 어린 시절 꿈은 텔레비전을 보며 가수흉내를 내며 가수도 되고 싶었고 전기문을 읽으며 정치인과 군인도 되고 싶었다. 자라며 영어공부가 재미있어 외교관이 되고 싶어 고시공부를 하기도 했다.

아들에게 권하고 싶은 일은 적성에 맞는 일을 찾아 사회와 국가에 공헌도 하며 즐기며 살아가기를 바란다.

어린 시절 '애수', '사관과 신사', '귀여운 여인'이라는 외국영화를 보며 남자주인공과 여자주인공이 너무 멋있어 나도 그런 사랑을 해보고 싶었지만 막상 멋진 남자를 보면 수줍어 표현도 못하고 멀리서 바라보기만 하며 후회했다.

나는 술, 담배를 안 하지만 운동량이 적어 건강검진을 하니 콜레스테롤 수치가 높아 걷기운동 등을 자주하라고 한다. 주기적으로 등산도 하고 자동차를 집에 두고 대중교통을 이용해 걷기운동을 자주하고 늦은 저녁에 식사를 피하고 체중조절과 건강을 유지하려고 한다.

지금까지 살아오며 역경을 겪은 것은 오랜 기간 고시공부를 하며 실패하고 심한 스트레스를 받고 불면증에 걸려 고생한 적이 있다.

결혼하고 아이가 어릴 때 남편이 회사를 퇴사하여 주부로서 참 막막하였고, 친정아버지께서 뇌경색으로 쓰러져 응급실에 계실 때 병간호와 집안 살림과 학교출근 까지 너무 정신없이 살았는데 어떻게 보냈는지 모르겠다. 아버지, 어머니 두 분 병원에 모시고 다니며 병간호 하다가 지쳐서 잘 해드리지 못한 것이 후회가 된다. 너무 욕심을 내지 말고 인생을 즐기며 남도 이해하고 도와가며 따뜻한 사회가 되기를 바란다.

'피하지 못하면 즐겨라!', '신은 인간이 버틸 수 있는 고난을 허락하신다.'는 말을 항상 생각하며 범사에 감사하며 살려고 한다.

인생을 살다보면 정말 훌륭한 사람들도 만나고 인격적으로 그러지 못한 사람들도 만나게 되는데 지금 이글을 쓰면서 나는 다른 사람들에게 어떤 사람으로 보일까? 되돌아보며 생각하게 된다. 결혼해서 워킹맘으로 부모님 병수발하며 항상 바쁘다 바빠하며 친지들도 잘 챙기지 못하고 바쁘고 서두르는 모습만 보여준 게 아닌지 후회된다. 앞으로는 시간을 좀 더 규모 있게 여유롭게 써야겠다는 생각을 한다.

나는 잘생긴 사람, 돈 많은 사람, 권력자 보다는 겸손하고 남을 잘 배려하고 속마음을 터놓고 얘기 할 수 있는 편한 인간관계를 선호한다.

나는 일생을 통해 영어공부와 외국어 공부를 즐기고 여행과 음악 감상을 좋아한다. 작년부터 국궁을 시작했으며 앞으로 민화, 문인화 사군자그리기, 서예, 켈리그라피, 우쿠렐레, 하와이

언 훌라춤, 라인댄스, 고전무용 등을 배우고 싶지만 아직 강의 준비도 해야 하고 시간이 부족해 배우지 못하고 있다. 내년부터는 열심히 배우려고 한다.

나이가 50대 중반을 향해 달리고 있다. 영국, 호주, 미국 등 이민을 가볼까 하는 생각도 한다. 이민을 안 가더라도 자주 여행을 가고 싶은데 강의시간이 겹쳐 못 가는게 정말 아쉽다.

인생에서 가장 중요하게 생각하는 가치는 우선 나의 가족 건강과 나라의 안전이다. 우크라이나 전쟁을 보면서 많은 피난민들이 집을 떠나 고단한 삶을 사는 것을 보며 나라가 있어야 국민도 가정도 나도 존재한다는 것을 국민모두가 알아야 한다고 절실히 실감한다.

내가 경험한 가장 가까운 사람의 죽음은 박정희 대통령이다. 그때 아버지와 어머니는 많이 슬퍼 하셨다. 외할머니, 아버지, 어머니의 죽음, 아직 실감이 나지 않으며 어디선가 나를 보시며 응원하실거라 믿는다.

죽음에 대한 나의 생각은 언젠가는 인간은 모두 죽는다. 먼저 가고 나중에 죽을 따름이지 살아있는 동안 착하게 살고 좋은 일 하며 덕을 베풀고 살아야 한다고 믿는다.

나는 '9988' 99세까지 88하게 건강하게 걸어 다니며 세상구경 다하고 죽고 싶다.

✣

사랑하는 아들에게

사랑하는 아들 ○○아, 사랑한다.

항상 바쁘다는 핑계로 네가 어릴 때 제대로 챙겨주지 못해 미안하구나.

하지만 잘 자라서 대학도 가고 군대도 무사히 다녀오고해서 큰 시름을 덜어서 엄마는 고맙다.

앞으로 살아가며 고난과 시련이 와도 포기하지 말고 오뚜기처럼 일어나 잘 극복하기를 바란다.

항상 겸손한 자세로 끊임없이 배움을 멈추지 말기를 바라며 돈도 아껴 쓰고 저축하여 여행도 많이 하고 견문을 넓혀 박학다식한 멋진 신사가 되어 우리나라와 세계역사 발전에 기여하는 자랑스런 한국인이 되기를 바란다.

건강할 때 건강을 지키기를 바라며 담배도 끊기를 바란다.

신앙생활을 하기를 간절히 기도한다.

사랑한다. 우리아들!!

한창 때는 다시 오지 않고,

하루가 지나면 그 새벽은 다시 오지 않는다.

하나의 작은 꽃을 만드는 데도 오랜 세월의 노력이 필요하다.

\- W. 블레이크

연두와 초록 사이

- 조경현*)

✣

연두의 꿈

아픔도 고뇌의 시간도 너무 길어 생각이 정리되지 않아 어떻게 시작할까를 망설였다. 꽃다운 20대에 그대로 잠들어 아침에 눈을 뜨지 않게 해달라고 기도할 정도로 삶이 녹록지 않았던 제일 아름다워야 할 20대를 그렇게 보냈고 글을 쓰면서도 많은 생각이 주마등처럼 스쳐 지나간다.

아버지는 고모 1분과 6형제 아들 중 4번째였으며 엄마는 3남 3녀의 막내로 태어나셨고, 고모는 그 옛날 '일본조청년단체'에 의해 북송선을 탔다는 소문과 동시에 연락이 끊어져서 지금까지

*) 1970년 9월생. '연두'는 작가 본인을 나타냄.

연락이 안 된다고 하셨다. 고모의 빈자리로 아버지에게 더 많은 사랑을 받은 건 아닌지 생각해본다.

저는 3남 1녀로 아주 귀한 딸로 어릴 때 아버지는 늘 공주 우리 공주라 부르셨고 나는 정말 내가 공주인 줄 알고 살았다.

아버지께서 내가 초등학교 입학 가기 전해에 해외 노동자 신분으로 사우디아라비아라는 곳으로 일을 하러 가셨고 2년이 지난 초등학교 2학년 말쯤에 한국으로 들어오셨다.

그리고 집에 없던 컬러티비와 다이얼식 전화기가 집에 들어왔다. 그때 당시로는 없는 집이 더 많은 터라 얼마나 좋았는지 모른다. 그러다 중학교 들어갈 무렵 아버지는 병원 진료를 시작하셨고 그땐 무슨 병인지도 몰랐고 그냥 몸이 안 좋은 줄로만 알았고 철부지로 친구들과 놀러 다니고 생각도 없이 살았었다.

병원에 계신 아버지를 보고 고등학교 진학을 도저히 생각할 수조차 없었고 당연히 학교를 포기하면 오빠나 동생들보단 내가 빠르겠다 싶었고 생각과 동시에 엄마의 만류에도 밀고 나갔었다. 산업체 고등학교를 찾아 면접을 보고 결정했다. 입학하고 기술을 익히며 공부를 해나가던 중 수술을 하셨고 경과는 좋다고 하셨다. 경과만 좋았다.

갑자기 그해 가을 아버지는 우리를 두고 혼자 먼 여행을 떠나셨다. 다시는 돌아올 수 없는 머나먼 여행을 그리고 남은 우리는 살아야 했고 아버지 병원비로 많은 돈이 나갔고 남은 건 빚이었고 엄마는 전업주부로만 살았기에 세상은 두려움에 대상이 되었다. 오빠는 대학에 다녔고, 동생들은 중학교 · 초등학교를 다녔다. 그때 집안을 생각하면 내가 산업체 고등학교선택이 모두를 위한 최선이라 생각했었다.

결국에는 고등학교를 산업체 학교로 선택을 했었고 3교대를 하며 고등학교를 다녔다. 처음에는 너무 힘들고 지치고 해보지 않은 일에 3교대로 돌아가는 시스템도 밤에 잠을 잘 수 없는 것도 괴롭고 외로워서 아프기도 많이 아팠고 제일 힘들었던 건 아버지의 임종은 물론 입관도 보지 못하고 이별이 되어버린 것이다.

내가 선택해서 간 고등학교고 회사지만 어느 순간 이게 맞나 이게 최선이었을까? 그때부터 공부의 갈망은 있었지만, 여건이 따라 주지 않았고 자포자기하며 그냥 막살았던 시절이었고 왜? 나만 늘 희생하고 포기해야 하나를 생각하게 되었고 이 회사에 계속 있으면 발전이 없을 것 같았고 졸업하면서 회사를 그만두고 간호조무사를 해보려고 마음먹고 엄마에게 말하려고 했을 때 엄마가 회사에서 일하시다 빈혈이 너무 심해 스러졌다 연락이 왔었다.

어느 날 나 또한 근무 도중 갑자기 손·발이 마비가 오고 걸을 수도 없었고 회사 직원이 놀라 업고 회사 지정 병원으로 뛰었고 나는 뛰어가는 분을 떨어지지 않게 잡고 싶었으나 손이 말을 안 들었고 그냥 뻣뻣하게 툭툭 떨어졌다. 병원을 가는 그 짧은 찰나에 이렇게 사람이 불구가 될 수 있겠구나, 생각했었고 점점 무서움과 서러움은 말로 표현하기 어려웠고 내 인생 여기서 끝나는구나 싶었다.

병원을 가니 원장님께서 만약 조금만 늦었는데 넘어졌으면 억! 소리도 못 내어 보고 하늘나라로 갔을 것이라 말씀해주셨다.

혈압이 너무 떨어져서 마비가 온 거라 말씀하셨다. 이렇게 아무것도 못해 보고 죽을 순 없다 싶어 눈물을 머금고 이 악물고 또 2년을 넘게 버티는 동안 나 자신이 없어짐을 느꼈고 아버지에 대한 원망은 이루 말할 수가 없었다. 처음 들어간 회사에서 5년 10개월 12일을 하고 그만두게 되었다.

우여곡절도 많았지만 2달을 간부님들과 싸우고 조율하고 회사를 이번에 못 그만두면 그냥 그대로 아무 생각 없이 희망도 꿈도 없이 다녔을 것이기에 회사에 사표를 내고 나오면서 바로 경리직으로 일을 하게 되었고 1년 정도 하는 동안 사장님 두 분께서 예쁘게 봐주셨고 그때 일도 많이 배웠다.

사장님이 두 분 계셨고 서울 사장님과 대구 사장님이었다. 주에 1번 정도 서울 사장님께서 내려오셨고 난 늘 사장님들과 출근을 같은 차로 했었다.

그러던 중 아침에 출근하려고 탔던 택시가 교통사고가 났고 택시 기사께서 다른 택시를 타고 가라 해서 그땐 바로 병원을 가야 하는지도 몰랐고 출근을 해서 근무를 하던 중 점점 몸이 아파 견딜 수 없을 만큼 힘들어져 회사에 이야기를 통원치료를 받기 시작했고 사장님들께서는 '조양아 그렇게 순진해서 험한 세상 어떻게 살려고 하느냐'며 '다음부터 이런 일이 또 있음 안되지만 이런 일이 생길 땐 무조건 병원부터 가서 검사부터 받으라'고 말씀해주시며 통원치료를 허락해주셨다.

그 후유증으로 병원 통원치료를 하게 되었다.

이후 병원과 일을 병행할 수가 없어 그만두게 되었고 치료를 받고 어느 정도 괜찮아지고 선물코너에서 일하면서 몸도 마음도 많이 회복되어 가던 중에 가끔 옆 가게에 놀러 오던 분이 계셨는데 갑자기 교통사고로 돌아가시고 그때 그분의 나이 20대 중반이었고 그분이 제일 마음 편해했던 곳 사찰의 인적이 없는 조용한 곳에서 영면에 들었다.

그렇게 사람이 죽고 화장이 되고 뼈가 가루가 된 것을 본 건 그때가 처음이었고 그렇게 장례가 치러졌다. 그 얼마 후 그곳에서 더 이상 일하기가 싫어져 그만두고 생각 없이 놀기 시작을 했다.

✣

연두 연두하길…

스물다섯 꽃다운 나이에 결혼했고 꽃길만 걸을 것이라 생각했던 결혼 생활은 결혼하고 몇 달이 지나지 않아 임신했고 임신 우울증도 있었고 그때는 공부라도 뭘 해볼 생각조차도 하지 못하고 무작정 나가서 돌아다니다 오고를 했었다.

첫애를 출산하고 얼마 지나지 않아 1997년 12월에 IMF가 오고 나에게는 또 다른 시련과 마주하게 되었다. 그때만 하더라도 1달만 돈을 못 받으면 밖에서 살아야 하는 줄 알았었다.

그러나 1년이 지나도 밖에서 살진 않았지만, 전세금으로 모았던 돈을 모두 빚잔치를 하고 경기도로 떠나 살게 되었다. 낯설고 물선 곳으로 떠나 살면서 또 다른 나를 보았고 너무나 잘 살아내고 잘 버텨내는 나를 보았다.

살면서 마음이 잠시 편했는지 둘째를 가지게 되었고 병원을 대구로 다니다 대구로 내려와 자리를 잡게 되었고 둘째를 출산하고 체질도 바뀌어서 없던 멀미가 심해 먼 곳을 승용차를 타고 움직이는 것도 겁부터 날 정도로 힘들어했고 우울증은 좀 더 심해져 밖에 나가는 것도 무언가를 하는 것도 애들 어린이집을 보내고는 멍하니 종일 한자리에 웅크리고 앉아 한 곳만 응시하고 울었다 울음을 멈추었다 반복했었다.

그때로는 다시 돌아가고 싶지 않을 정도로 지금 생각해도 마음이 아프다. 너무 아파하고 있을 때 같이 어린이집을 보내던 같은 아파트 아이 엄마가 그러다 정말 큰일 나겠다며 조조영화도 보고 점심도 먹고 카페도 가고 나가자 할 때 거절을 했었다. 그러고 집에 올라오면 똑같이 행동하고 있는 나를 발견하고 처음엔 집으로 커피를 마시러 왔었고 긴 설득 끝에 애들을 어린이집을 보내고 시내에 극장 조조할인 영화를 보고 점심을 먹고 다빈치 커피를 마시며 백화점 아이 쇼핑을 하고 거의 매일 2년 정도를 다닌 것 같다. 그러면서 사람들도 만나고 다시 친구들도 만나기 시작하고 배움도 하나씩 했었다.

하지만 본질적인 문제점은 그대로 남아 있어 달라질 건 없었다. 나가서 다닐 때는 잊고 있었던 문제들이 집에 돌아오면 다시 제자리로 돌아오고 어느 때부터는 더 이상 새롭지도 즐겁지도 않았다.

하고 싶은 것도 많았고 해보고 싶은 것도 많았던 20대였지만 임신과 출산에 모든 걸 버려야 했고 시댁과 친정을 오가며 맏이 아닌 맏이로 육아와 양쪽 집 어른들의 일을 처리해야 했으며 20대에 나는 존재하지 않았다. 30대, 40대를 그렇게 보내고 나니 내가는 피해갈 수 없는 병만 남아 나를 또 괴롭히고 있었다. 젊은 나이에 빈혈 수치가 바닥이어서 고생고생하고 수치를 올리고 나니 스트레스성으로 너무 아파 병원을 가면 병명이 없었다.

✣

연두였던 적은 있었을까?

병원에서 약을 처방해주면 먹어도 나아지질 않았고 그로 인해 위장병은 더욱 심해져서 먹을 수조차 없었고 먹는 것이 무서울 정도로 역류성 식도염까지 보태고 있었다.

그때부터는 살아 있는 것도 싫어 매일 술을 안마시면 살 수가 없었고 알코올의존증 환자 수준의 술을 마시기일 수였고 불화는 더 커질 수밖에 없었다. 그렇게 4~5년 시간을 술 종류별로 냉장고에 사다 넣어 놓고 먹었다.

더 이상 이렇게 살다가 애들이 다 성장하기도 전에 죽겠다 싶어 폭탄선언을 했고 가족들과의 골은 더욱 깊어져 가던 가운데 애들 아빠랑은 극과 극을 달리고 너무 많이 먹어 내가 술을 먹는지 술이 나를 먹는지 모를 정도로 먹었지만 그랬기에 삶의 더 소중함을 알게 되었다.

죽어라 먹었기에 나처럼 힘들어하던 친구에게 조언도 할 수 있었다. 지금은 친구도 자신의 삶을 잘 살아가고 있는 걸 보면 기회가 생겨 돌아봤을 때 애들에게 할 말이 없을 뿐 아니라 후회를 하게 되면 되돌릴 수 없을 것 같아 더 내려갈 바닥도 없었고 해볼 만큼 했지만 달라질 기미는 없었다.

그 순간 모든 것을 내려놓고 더 이상 미련도 생기지 않았다. 거짓말처럼 술을 먹지 않았고 술자리 자체를 가지 않게 되었다. 그 후로 2년을 술 한 잔 먹지 않았다. 모르는 사람들은 '정말 지독하다.'라고 했었는데 정작 술이 먹고 싶다거나 먹어야겠다는 생각이 전혀 들지 않았다. 그렇게 술과는 안녕을 하였다.

끝날 것 같지 않던 술과의 전쟁이 끝나고 시작되었던 나와의 전쟁이다...

그 모든 걸 잊고 살기 위해 칼로 레몬도 얇게 생강도 얇게 청귤도 얇게 양배추, 무 등 얇게 썰 수 있는 건 다 얇게 칼질을 했던 것 같다. 칼을 사용하면서는 온 신경을 칼끝에 둘 수밖에 없었다. 어떠한 생각이라도 하지 않아야 살 수 있을 듯해서 정말 열심히 칼을 사용했다. 덕분에 지금은 레몬청, 청귤청 등 생강편강도 내겐 참 쉬운 일이 되었다. 고마운 분들께 선물로도 좋고 더운 여름날 시원한 차, 에이드도 좋고 겨울엔 마음까지 따뜻해지는 따뜻한 차도 좋다.

손가락에 물집이 잡힐 정도로 다듬고 썰고를 해서 항상 손가락과 손바닥, 손톱이 성할 날이 없었다. 손에 상처가 많이 생기면 생길수록 잡생각들을 떨쳐 버릴 수 있었다.

생각해보면 그 당시는 죽을 만큼 죽고 싶을 만큼 아프고 괴로웠지만 지금 생각해보면 혼자가 아니었고 옆에서 나를 지켜주고 아껴주는 가족과 친구들이 있었는데 그땐 몰랐었다. 옆에 있다는 사실조차도 마냥 나만 아무도 없는 무인도에 혼자 떨어진 것 같이 깎아지는 절벽 위에 간신히 버티고 서있는 누구에게 마음 둘 곳 없는...

희망은 없다고 생각했었다.
누가 몇 살 때로 돌아갈 수 있다면 몇 살로 돌아가고 싶으냐는 보통은 몇 살 때로 돌아가서 다시 인생을 설계하고 살고 싶다고 하는데 질문에 나는 돌아가고 싶은 나이도 없고 돌아가고 싶지도 않다.

그럼 순간, 찰나는 있었냐고 다시 묻는다면 물론 있다.
'예스'지만 '지금 여기' 이 순간이 제일 멋지고 행복하단 걸 이제야 알게 되었다.

✣

지금은 초록...

지금 돌이켜 생각해보면 내가 나를 먼저 사랑하지 않고 상대를 먼저 생각하고 미리 한 발짝 물러서서 양보부터 하고 내 몫을 챙기면 도리에서 어긋난다고 생각하고 판단하고 다른 사람을 배려한다고 한 것이 나중에는 당연한 것이 되고 그 당연한 기준을 충족시키지 않으면 나의 죄가 되었다.

나만 챙기는 이기주의자가 되라는 건 아니다 하지만 내 것까지 다 내어주는 바보로 살지 말자는 것이다.

처음 아버지가 병원에 계실 때 아무도 생각하지 말고 다른 친구들처럼 일반고등학교를 갔었다면 어떠했을까? 라는 질문을 가끔 나 자신에게 던져 볼 때가 있다. 늘 정답은 없다.

가보지 않은 길이기에 어떠한 일이 어떻게 펼쳐졌을지는 아무도 장담할 수 없기에 예전엔 아픈 만큼 성숙해진다는 말처럼 무책임한 말이 없다고 생각했는데 지금은 아파봤기에 기쁨도 행복함도 뿌듯함도 더 크게 느끼는 것이 아닐까 생각한다.

지금이라도 나를 사랑하는 법을 알고 어떻게 나를 대해야 하는지도 알게 되었다. 앞으로 나에게는 희망도 꿈도 행복도 없다고 믿고 말하는 모든 이들에게 나 자신을 먼저 사랑하고 아끼는 법부터 배우고 익혀 라고 이야기해주고 싶다. 당연한 권리를 본인 스스로가 핑계라는 아이에게 자리를 내어주고 포기하지는 말았으면...

연두빛 파릇파릇 돋아나는 새싹을 좋아해서 연두 계열의 색을 무진장 좋아하지만 답답하게 느껴지고 쨍한 농익은 삶이 말 그대로 영글고 여물었다는 표현이 맞는지 모르겠지만 초록으로 새싹에서 시간이 지나면서 잎들도 스스로 자생하기 위해 튼튼해지면서 짙어지듯 삶도 연두에서 초록으로 익어가는 중...

꽃 피는 중이다

- 최정희*)

#프롤로그 : 내 어린 시절은 한편의 동화책이다.

내가 주인공인 한편의 동화책, 배경은 고향의 들판과 숲이다. 논둑길과 숲길을 걸으며 내가 주인공인 동화책을 읽는다. 동화책을 읽다 보면, 잠깐 사이 길가에서 나풀거리는 강아지풀과 바랭이들이 주인공이 되고 나는 구경꾼으로 밀려나고 만다.

이곳 동화 속 나라에는 날마다 주인공이 바뀐다. 하루에도 몇 번씩 주인공이 바뀌기도 한다. 아침엔 할미꽃 오후엔 진달래꽃 저녁에는 박꽃, 그러니 내일의 주인공을 어떻게 알 수 있겠는가? 그날의 주인공이 누구인지 궁금해서 날마다 산과 들판을 뛰어다닐 수밖에 없다.

살아오면서 눈물을 흘리면서 읽은 책이 있고 영화가 있다. 또 무릎을 탁 치게 한 이야기가 있지만 기억 속에서 영영 사라

*) 1953년 12월 출생

져버렸다. 하지만 야생 꽃들과 풀과 벌레들은 날이 갈수록 생생하게 살아난다. 그 이유는 그것들이 내 가슴에 도장처럼 찍혀 있기 때문이다.

내 가슴엔 뛰어 올라갈 수 있는 산이 있다. 그 산엔 사시사철 자주색 할미꽃과 진달래 분홍꽃이 피어있다.

#1. 새싹 시절

✣

콩 이파리

"네가 태어났을 때, 얼굴이 콩 이파리만 했다."라고 엄마가 말했다. 얼마나 작았으면 콩 이파리만 했다고 할까?

어린 나는 잘 먹어서 토실토실했다고 한다. 너무 많이 먹으려고 해서 한 사람이 먼저 먹고 나를 업고 나가야 했다는데, 내 기억엔 음식이 먹고 싶었다거나 배가 고팠던 기억이 없다. 먹기 싫어했던 기억뿐이다. 내가 음식을 먹기 싫어하게 된 까닭이 있다.

다섯 살 정도였을 것 같다. 동네 친척 집에서 밥을 먹게 되었다. 시래깃국이 내 입에 딱 맞았다. 몇 숟갈 먹었는데. 국속에 이상한 물체가 보였다. 나는 밥알인지, 구더기인지 분간할 수 없었다. 더는 먹을 수 없어 숟갈을 놓았다. 어른들이 더 먹으라고 했지만 나는 먹을 수가 없었다.

이후 음식을 대할 때마다 세심하게 살펴봤다. 나만큼 음식 재료를 씻고 또 씻는 사람도 드물 것이다.

✣

무조건 좋았다.

어느 날이었다. 할머니 등에 업혀서 집으로 돌아왔다.

엄마가 할머니에게 "다 큰 애를 업고 다니면 허리 아픕니다. 이젠 업고 다니지 마세요." 라고 말했다. 그리고 나서 엄마는 "다 큰 애가 업혀 다니다가 할머니 허리 아프시면 어떡할래?" 라며 나를 나무랐다.

그 날 이후엔 할머니는 집 밖에 나가 길바닥에 엉거주춤 앉았다. 그리곤 내게 등을 내밀었다. 나는 얼른 할머니 등에 업혔다. 기분이 좋아서 나는 다리를 까닥거렸다. 집으로 돌아올 때였다. 집에 가까이 왔을 때, 할머니에게 "내려줘." 라고 말했지만 할머니는 내려주지 않았다. 엄마에게 꾸중을 들을까 걱정이 되었다. 그래서 할머니 등에서 두 다리를 버둥거렸다. 할머니는 내 다리를 꽉 조였다.

6.25 때 삼촌(아버지의 동생)이 금화지구에서 전사했다.

작은아들을 전쟁에서 잃은 아픔이 컸을 할머니, 결혼한 지 몇 년이 지나도 엄마에게 태기가 없자, 아이를 못 낳는 줄 알았다고 한다. 엄마는 아이를 못 낳는다고 할머니의 구박을 받았다고 한다. 그럴 때 내가 태어났다. 여자를 천대하던 때였지만, 할머니는 무조건 내가 좋았다고 했다. 그래서 제법 커서까지 업고 다니셨고, 엄마에게 "얼라가 우째하노. 내가 하께." 하면서 아무런 심부름도 못 시키게 하셨다.

✣

아버지의 사랑

3, 4살 정도였을 것 같다. 아버지가 나를 데리고 외출하셨다. 할아버지들이 많이 있었다. 집안 어른들이었던 것 같다.

한 할아버지가 "니 속깽이구나." 하셨다.

요샛말로 하면 "네 자식이구나." 라는 뜻인데, 내가 아버지를 닮았기 때문에 그 할아버지가 나를 보자마자 아버지의 딸인 줄 안 것이다. 아버지의 환하게 웃는 얼굴은 내가 더 없이 자랑스럽고 뿌듯하다는 표정이 떠올랐다. 육십여 년이 지났지만, 그때 아버지의 표정은 방금 일어난 일인 듯 선명하게 떠오른다.

아버지가 나를 데리고 연못으로 낚시를 갔다.

아버지의 낚싯대는 긴 대나무였다. 아버지는 낚시하고 나는 주변에서 놀았다. 연못가에서 왕잠자리, 실잠자리, 메뚜기, 베짱이 등을 보며 놓았다. 연못 속에는 올챙이. 물장군, 물자라, 소금쟁이 등이 돌아다녔고. 여러 가지 물풀 중에서 가장 기억에 남는 것은 마름이다. 잎이 마름모꼴인 마름의 열매는 이 세상의 것이 아닌 다른 별나라의 열매처럼 기묘하게 생겼다.

아버지는 자전거 앞 안장에 나를 태우고 다니셨다.

분홍색 꽃무늬가 있는 안장이었다. 그때는 자전거가 있는 집이 거의 없었다. 아버지가 면사무소에 다니셨기 때문에 자전거는 아버지의 출퇴근용이었다.

유치원 소풍을 가는 날이었다.

아버지가 나를 유치원에 데려다 주셨다. 애들이 올 때까지 유치원 밖에서 기다려야 했다. 친구가 도시락 보자기에 앉았다. 나는 친구를 따라 내 도시락 보자기 위에 앉았다. 점심을 먹으려고 열어보니, 빵은 납작해져 있었고, 과자는 조각나 있었다. 점심 먹을 때보니 친구 도시락은 찬합이었다.

내가 중학교 입학하고 나서 아버지는 내게 자전거 타는 법을 가르쳐 주셨다.

마당이 넓다 해도 자전거 타기엔 좁았다. 나는 여기저기 부딪칠 것 같아 무서웠다. 아버지는 동네 길에서 자전거 타는 것을 가르쳐 주셨다. 길은 좁았다.

길 양쪽 아래는 한쪽은 개울이고 한쪽은 미나리꽝이었다. 나는 무서워서 제대로 탈 수 없었다.

엄마

추석 때였다. 나는 네 살에서 다섯 살 사이였을 것 같다. 엄마가 엄마 옷을 만들려고 옷감을 샀다.

할머니가 돈도 없는데 옷감을 샀다고 나무랐다. 엄마는 나를 데리고 옆 동네로 반품하러 갔다. 가면서 혼잣말을 했다. 내가 벌어서 산 건데 할머니가 못하게 한다고, 엄마가 안 돼 보였다.

엄마가 재봉틀로 옷을 만들어 주었다. 하얀 바탕에 네이비 색깔의 땡땡이 무늬가 있는 민소매 옷이었다. 그리고 녹색 체크무늬의 에코백 같은 것을 만들어 주셨다.

내가 아직 아기 때였는데 아버지와 내가 보이지 않았다고 했다. 나중에 보니 아버지가 나를 데리고 양장점에 가서 내 옷을 맞춰 왔다고 했다. 한 해 추석에는 앞에 줄무늬가 있는 빨간색 카디건과 빨간 나일론 바지를 사주셨다. 아이들이 빨간둥이라고 놀렸다.

할머니 환갑잔치에서 나는 분홍색 티어드 원피스를 입었다. 얇은 천의 민소매 원피스였다. 지금도 눈에 선하다. 처음 보는 예쁜 옷이었기 때문이다.

그때 할머니는 구십이 넘은 지금의 엄마보다 더 늙었다. 마당은 친척과 동네 사람들로 북적거렸다. 서당을 관리해 주던 할아버지가 있었는데, 그분은 우리 친척들의 잔치나 행사가 있을 때 마당에 걸린 큰 솥에 국을 끓였다.

엄마가 사십 살이 되던 해, 눈물이 났다. 엄마가 너무 늙었다고 생각했기 때문이었다. 요즘 사십 살은 청년인데. 그때는 오십 살 정도면 호호 할머니가 되었고 살날이 얼마 남지 않았다고 생각한 시절이었다.

지금 엄마는 아흔둘이다. 엄마가 사십 살 때 엄마 나이가 너무 많아서 내가 울었는데, 그 사십 살 만큼 더 살고도 십 년이 넘었다. 엄마는 치매를 앓고 있다. 이젠 장기 기억까지도 가물가물한다. 엄마가 혼자서는 살 수 없게 되었지만, 내 일이 바쁘다고 자주 찾아가지 않는다. 내 일은 그동안 방치를 해두었던 나를 돌보는 거다.

나도 내일모레면 칠순이라 시간이 많지 않다.

당장 내게 하고 싶은 것을 할 기회를 주어야 한다. 남동생이 엄마와 함께 살면서 엄마를 돌보고 있다. 참 고맙다.

✣

놀러 데려다 줘.

할머니에게 "놀러 데려다 줘."라고 졸랐던 기억이 난다.

할머니는 나를 데려다주면서 친구들에게 "잘 데리고 놀아줘." 라고 부탁하던 것까지 기억이 난다. 초등학교 4학년부터는 날마다 도서실에서 책을 읽느라 친구들과 놀지 못했다.

스무 살이 넘어서 그 친구들을 만났다. 친구들은 나보다 나이가 많았다. 가장 나이가 많은 친구는 4살이나 많았다. 혼자서 친구를 찾아 놀러 가기엔 아직 어렸기 때문에 할머니에게 놀러 데려다 달라고 졸랐던 것 같다.

할머니는 어린 나를 데리고 놀아줄 나보다 큰 아이들에게 나를 데려다준 것이었다.

✣

꽃과 풀

진달래

봄이면 산으로 뛰어다니며 놀았다.

아이들과 진달래꽃을 따 먹었다. 입술과 혓바닥이 푸르스름하게 변했다. 우리는 혓바닥을 내밀어 보이면서 웃었다. 수술이 길게 뻗어 나온 진달래의 꽃잎은 다른 꽃잎과는 달리 얇고 가냘프다. 진달래꽃잎에서 아련한 슬픔이 느껴졌다. 김소월도 진달래꽃에서 이런 슬픔을 느꼈을까.

할미꽃

꽃이 지면, 바람에 날리는 머리카락 같은 수술들이 보기에 좋은 할미꽃, 꽃잎 안쪽의 자주색은 우단처럼 고급스러웠다.

중학교 때, 아이들이 안 예쁜 것을 비유할 때, 할미꽃이라고 했다. 나는 동의 할 수 없었다.

나는 아이들에게 "할미꽃 예뻐, 진짜 예뻐."라고 말하면, 도시 아이들은 고개를 절래절래 흔들었다. 할미꽃을 본 적이 없는 아이들이 할미꽃의 예쁨을 어떻게 알겠는가.

작약

봄이면 작약 꽃이 활짝 피었다. 마당의 넓은 텃밭 대부분이 작약꽃밭이었다. 작약꽃은 뭉게구름처럼 풍성하게 피어났다.

나는 작약 꽃잎을 하나씩 따면서 놀았다. 작약 꽃잎은 개수도 많거니와 모양과 크기가 각각 다르다. 이런 꽃을 찾기는 쉽지 않다. 엄마는 작약 뿌리를 캐어 말려 팔기도 하고 작약 꽃을 팔러 다니기도 했다고 하셨다. 엄마에겐 고달픈 삶의 꽃이었겠지만. 내겐 꽃의 아름다움과 풍성함을 알게 해 준 꽃이다.

국화꽃과 코스모스꽃

가을이면 우물과 텃밭 사이에 국화꽃이 줄지어 피었다.

우리 집은 대문이 없었다. 집으로 들어오는 길가에 코스모스 꽃들이 피었다. 국화 꽃잎을 떼기도 하고 코스모스 꽃잎을 떼면서 놀았다. 국화 꽃잎들이 매우 가지런히 촘촘히 박혀 있는 것을 보며 감탄했다.

코스모스 씨앗은 가늘고 길쭉한데 눈썹처럼 둥글다. 야생풀의 씨앗 모양은 식물마다 달랐다. 꽃밭의 사철나무도 다른 잎과 달리 진하고 약간은 통통했다.

검붉은 장미꽃도 있었는데, 아버지는 이렇게 검은 장미꽃은 잘 없다고 하셨다. 나는 장미꽃의 검고 붉은 색깔이 무서웠다.

선인장

아버지는 선인장을 키우셨다. 납작한 손바닥 선인장들과 손가락처럼 긴 선인장들 등 여러 가지 선인장들이 있었다. 아마도 다육식물도 있었던 것 같다. 아버지는 납작한 선인장을 둥글게 잘라내고 다른 선인장을 접붙이기도 하셨다.

다른 식물과 달리 선인장이 물기가 많고 두툼하고 가시가 있었다. 가시가 촘촘하게 달린 식물이 내겐 너무 신비롭게 느껴졌다.

쇠비름꽃

쇠비름은 다른 풀과 달리 줄기가 통통하다. 통통한 줄기와 노랗고 좁쌀만 한 쇠비름 꽃이 신기했다.

더 신기한 것은 씨앗 통의 뚜껑을 열면 좁쌀을 스무 동강도 더 내야 할 만큼 작은, 까만 씨앗이 소복하게 들어있는 것이었다.

쑥

엄마는 복숭아밭에서 일을 하고, 나는 복숭아밭 가장자리에서 놀았다. 봄날이었다. 양지쪽에 오동통하게 올라온 쑥이 있었다. 그늘에 있는 쑥은 야들야들했다.

그늘에서 자라는 식물은 햇빛을 많이 받기 위해 그렇게 자란다는 것을 모르는 내겐 너무나 신비로운 일이었다.

박꽃

여름밤이었다. 한밤중에 깼다. 마당이 훤했다.

마루에 나가 보니, 달이 휘영청 밝았다. 아래채 지붕을 쳐다보게 되었는데... 박꽃이 활짝 피어있었다. 달빛이 은은하게 스며든 새하얀 박꽃. 세상에 이렇게 아름다운 하얀 색이 있을까.

올해 남편의 고향 집에 박을 심었다. 박꽃이 피고 박이 달렸지만, 옛날의 그 박꽃을 볼 수 없다. 집은 옛집 그대로이지만, 도시로 변했고...

밤이면 바로 집 앞에 가로등까지 환하게 켜지기 때문이다. 달빛이 은은하게 스며든 새하얀 박꽃이 보고 싶다.

토란

뒤뜰엔 토란이 자랐다. 토란잎은 넓기도 하고 컸다.

비가 오면 토란잎 위에 물방울들이 굴러다녔다. 물이 많이 모이면 토란잎이 기울어지면서 물이 아래에 있는 토란잎으로 떨어져 내렸다. 비가 오지 않을 때, 토란잎에 물을 올려놓고 흔들면서 놀았다. 물방울은 방울방울 굴러다니다가 쪼개지기도 하고 합쳐지기도 했다. 토란잎을 너무 세게 흔들면, 물방울이 아래로 굴러 떨어진다. 이때 아쉬움은 말로 할 수 없다. 토란잎에 물을 붓고 조심조심 토란잎을 흔들면, 재미가 없다. 저절로 토란잎을 조금씩 더 세게 흔들게 된다. 이 놀이는 물이 떨어질 수밖에 없다. 물을 떨어뜨리지 않으려고 조심하면 재미가 하나도 없기 때문이다.

✣

여름밤의 동화 속 나라

알퐁스 도데의 별을 읽으면, 고향의 여름밤이 떠오른다.

먼 하늘엔 은하수가 흐르고 별빛이 총총한 밤하늘 아래, 반짝, 반짝거리며 날아다니는 수백 개의 불빛 사이를 이리저리 뛰어다녔다. 환상이었다. 나뿐만 아니라 동네 아이들은 죄다 나와 뛰어다녔다.

어느 해, 나는 너무나 놀랐다.

남자아이들이 이 불빛을 눈썹에 붙이고 뛰어다녔기 때문이다.

남자아이들이 불빛을 떼어내는 것을 보았다. 불빛은 벌레 꽁무니에 붙어있었다. 나는 벌레인 줄 몰랐던 내겐 충격이었다. 여름밤의 내 인생 최고의 놀이였다.

벌레 꽁무니에서 나는 불빛인 줄 알았지만, 공중을 반짝이며 날아다니는 불빛은 나를 여전히 설레게 했다. 4학년 때부터 읽기 시작한 동화책 속의 이야기는 밤하늘에 흐르던 은하수와 반짝거리던 셀 수 없이 많던 별들. 내 머리 위로 날아다니던 반딧불이의 불빛처럼 내 마음속에 신비롭고 아련하게 다가왔다.

✣

고추잠자리

엄마가 나를 데리고 토끼풀을 뜯으러 갔다. 복숭아밭이었다. 엄마는 토끼에게 줄 풀을 뜯고, 나는 복숭아밭을 뛰어다니며 놀았다. 풀잎에 앉아 있는 새빨간 고추잠자리를 발견했다.

난생처음 보는 새빨간 색깔이었다.

나는 고추잠자리를 향해 손을 내밀었다. 잠자리가 쑥 날아갔다. 잠자리는 주위를 맴돌다가 풀잎에 내려앉았다. 나는 살금살금 다가가 고추잠자리를 향해 조심조심 손을 내밀었다. 고추잠자리가 슝 하늘로 날아올랐다. 멀리 날아갔다.

나는 고추잠자리를 따라 달렸다. 퍽, 돌에 걸려 넘어졌다.

앙, 울었다.

엄마가 나를 데리고 집으로 돌아왔다.

#2. 꽃봉오리 시절

그림책

초등학교 4학년 때였다. 선생님이 수업 시간에 그림책을 가지고 오셨다. 나는 그림책을 처음 보았다. 백설공주, 신데렐라 등 그림책의 그림도 예뻤고 이야기도 재미있었다.

나는 선생님이 그림책을 들고 교실로 들어오시는 순간 그림책 속에 풍덩 빠지고 말았다. 다음 날부터 나는 도서실에 갔다. 도서실 문을 닫을 때까지 책을 읽었다. 그때는 책을 빌려주지 않았다.

읽던 책을 서가에 꽂힌 책 뒤에 숨겨놓았다가 다음날 와서 꺼내 읽었다. 그림책에 빠져 도서실을 찾았지만, 나중엔 위인전 안데르센 동화집 이솝우화 빨간머리 앤, 소공녀, 소공자 등 세계문학 전집을 비롯하여 여러 종류의 책을 읽었다.

전과 두 권

4학년이 되었을 때, 나는 처음으로 아버지께 전과를 사달라고 했다. 동아전과를 사주셨다. 나는 집에서 날마다 동아 전과를 읽었다. 얼마 후 고모부님이 학교에서 내게 표준전과를 주셨다. 고모부님은 초등학교 교사였는데, 내가 4학년 때 우리학교로 전근을 오셨다. 나는 이 두 권의 전과를 날마다 읽었다. 비슷한 말, 반대말, 준말, 등등 너무 재미있었다. 문단 나누기는 어려웠다. 그래서 전과를 보면서 왜 거기서 나누었는지도 살펴보는 등 나는 두 권의 전과를 샅샅이 읽었다.

105점/ 내 인생 최고의 기쁨

3학년 때였다. 어느 날 선생님이 며칠 전에 친 시험지를 나눠주셨다. 시험지를 받아든 나는 깜짝 놀랐다. 105점이었다. 빨간 색연필로 쓴 숫자 10, 그 밑에 그인 밑줄 두 개, 아직도 눈에 선하다. 나는 시험지를 받아든 순간 기뻐서 소리쳤다. "와~, 105점이다." 웃음이 절로 튀어나왔다. 집으로 돌아가는 길에도 웃음이 멈춰지지 않았다. 100점이 아니라 105점, 올림픽에서 금메달을 딴 선수 같은 기쁨이었다.

일제고사와 선생님의 편지

4학년 때였다. 그때는 전교생이 같은 날 시험을 쳤다. 그래서 일제고사라고 하였다. 일제고사를 칠 때마다 선생님이 내가 우리 반에서 일등을 했고 4학년에서는 이등을 했다고 했다. 내가 틀린 1개의 문제는 알고 있는 것이었다. 알고 있는 문제를 틀린 데는 이유는 성급해서 끝까지 문제를 읽지 않기 때문이었다. '틀리지 않는 것은?'이란 객관식 문제에 ①번에 틀린 내용이 적혀있으면, ①번에 체크를 해버린다. 4학년 내내 이런 일이 벌어졌다.

다음 시험엔 '틀리지 않는 것은?'이란 말이 나오면 끝까지 읽었지만, 나의 성급함이 사라진 것이 아니기 때문이다. 다음 번엔 '맞지 않는 것은?'이란 문제에 걸려들기 때문이다. 틀린 것은? 맞는 것은? 이라고 하면 될 것을, 어린 초등학생을 이렇게 혼란스럽게 하다니.

일제고사를 친 후 성적이 나오면, 선생님은 아버지께 드릴 편지를 주셨다. 어느 날이었다. 우연히 아버지와 엄마가 하는 말을 듣게 되었다. 요샛말로 선생님이 촌지를 달라고 편지를 보낸다는 것이었다. 그다음부터는 선생님의 편지를 아버지께 갖다 드리지 못했다. 5학년이 되었을 때, 우연히 전과 속에서 선생님 편지를 발견했다. 편지 내용은 아주 짧았다. 일제고사에 내가 반에서는 일등, 4학년에서는 2등을 했다며, 하나 가르치면 열 개를 안다며 칭찬한 내용이었다.

쇠똥에 미끄러지다.

초등학교 1학년 때였던 것 같다. 몇몇 애들과 함께 학교로 가는 길이었다. 그때는 비포장 도로였다. 앞에 누가 빈 리어카를 끌고 가고 있었다. 소달구지가 주로 물건을 싣고 다녔기에 내겐 리어카가 신기했다. 리어카를 뒤따라 종종 걸어가다가 미끄덩! 미끄러졌다. 소똥이었다. 소가 똥을 눈 지 얼마 안 된, 물컹한 똥이었다. 내 옷에 소똥이 여기저기 묻어버렸다. 나는 울었다. 집에 돌아가기엔 너무 멀리 와있었다. 마침 종고모와 함께 학교에 가는 중이었다. 나보다 한 살 많은 종고모가 학교에 가서 나를 씻겨 주었다.

나머지 공부

4학년 때는 선생님이 공부 못하는 애들에게 나머지 공부를 시켰다. 근데 선생님이 그 애들을 가르치는 게 아니었다.

공부 잘하는 애들에게 그 애들을 한 명씩 맡아서 가르쳐주라고 하셨다. 나는 어떤 애에게 국어책 읽기를 가르쳤다. 나는 국어 책 내용을 다 외우게 되었는데 그 애는 보고도 읽지 못했다.

6학년 때 나머지 공부는 공부 잘하는 애들이 하였다. 중학교에 들어가기 위해 시험을 쳐야 했기 때문이다. 우리는 날마다 시험을 쳤다. 하나 틀리면 한 대, 두 개 틀리면 두 대. 손바닥을 맞았다. 우리 반 선생님은 순한 선생님이어서 그 정도였다. 다른 반 선생님은 발바닥을 때리기도 하고 허벅지를 때린다고 했다.

반찬 그릇 뚜껑

2학년 때였다. 아버지가 나를 데리고 담임 선생님과 함께 식당에 갔다. 밥그릇과 반찬 그릇 모두 뚜껑이 있었다. 나는 뚜껑으로 덮은 반찬 그릇을 처음 보았기 때문에 아직도 눈에 선하다.

통지표

4학년 말 종업식 날이었다. 우연히, 친구의 통지표를 보게 되었다. 모두 수였다. 애가 공부를 잘한다고 생각지 않았는데, 게다가 그 애의 동생의 통지표에도 모두 수에 빨간 동그라미가 찍혀 있었다. 이럴 수가 있나 싶었다. 내겐 수가 아닌 것도 있었기 때문이다. 일 년 동안, 내내 반에서 일 등을 한 나보다 그 애가 더 좋은 성적을 받다니, 받아들이기 힘들었다.

그 애 아버지는 협동조합에 다닌다고 했다. 그 애는 머리를 예쁜 리본으로 뒤로 묶었다. 그렇게 예쁜 리본으로 머리를 묶은 애는 우리 반에서는 그 애뿐이었다. 그리고 날마다 점심시간에 삶은 달걀을 선생님께 드렸다. 그 시절엔 달걀도 매우 귀한 음식이었다.

나는 누구인가?

고등학교 시절에도 세계문학 전집과 철학 서적 등을 읽었다. 철학 서적을 읽은 이유는 내가 누구인가. 어떻게 살 것인가에 대한 답을 찾기 위해서였다. 니체의 [짜라투스트라는 이렇게 말했다]를 읽느라 끙끙댔던 기억이 난다.

집 학교, 학교, 집의 생활

집 학교, 학교 집을 오가는 평범한 생활이었다.

아버지가 편찮으시기 전까진 경제적으로 풍부하진 않아도 나는 삶에 대해 고민할 것이 없었다. 고삼 때 뒷자리의 친구가 내게 말했다. “너는 너무 밝다. 그래서 네겐 말을 할 수 없다.” 라고 했다. 나는 왜냐고 물었다. “나는 너무 어두워.”라고 친구가 말했다. 나는 이 친구의 말처럼, 사람들은 맏이로 동생이 다섯이나 있는 나를 사랑받으며 자란 막내인 줄 알았다. 이후 아버지의 병환을 시작으로 대학 진학과 꿈을 포기하면서 내 삶의 암흑기가 시작되었다. 가족에게 말을 못하고 혼자서 낮 동안에는 죽고 싶은 마음을 꾹꾹 누르다가, 밤이면 이불을 덮어쓰고 숨죽여 울었다.

60년대 시골 여성들의 삶

친구 집 마당에서 친구들과 놀다가 듣게 된 이야기들이다. 이웃의 결혼한 여성들이 가끔 친정으로 올 때면, 한결같이 시부모님이 이렇게 저렇게 했다며 억울함을 호소하였고 남편 또한 마찬가지라고 하며 서럽게 울었다. ‘왜 저렇게 살까. 그만

두면 될 걸.' 어린 나는 이렇게 생각을 했다. 그 시절 이혼한다는 것이 얼마나 어려운 건지 몰랐기 때문이다.

친척 중에도 아들을 얻기 위해 첩을 둔 집이 있었고, 아들들이 있어도 첩을 둔 집이 있었다. 어느 날 친구 집에 갔는데, 방안에 친구 아버지와 엄마 옆에 배가 부른 여자가 앉아 있었다. 처음 보는 여자였다. 얼마 후 그 여자는 없어지고 친구 집에 남자 아기가 생겼다. 아무도 내게 그 여자와 아기에 관한 이야기를 해주진 않았지만. 나는 내가 본 그 여자가 낳은 아기라고 생각했다. 친구 아버지와 엄마는 나이가 매우 많았기 때문에 아기를 낳을 수 없었다.

나보다 어린 남자애가 있었는데. 나이가 많은 할아버지 할머니랑 살았다. 그 할머니를 엄마라고 불렀다. 그런데 언젠가 좀 젊은 여자가 왔고 그 여자가 그 애의 엄마라고 했다. 그 애는 젊은 엄마를 좋아하지 않았다. 요즘에 영화에나 볼 수 있는 씨받이였을 것이다.

책을 통해 성장하다.

나는 책을 읽으면서, 내가 인간이라는 걸 자각했다.

여성으로서의 삶이 아니라 인간의 삶을 살고 싶었다. 어린 시절 가부장제 결혼이 여성을 행복하게 해 주지 않은 것들을 목격했고, 책 속의 여성들 또한 행복하지 않았다. 나는 결혼하지 않고 살려고 했다. 요새 말하는 비혼으로 말이다. 버지니아 울프, 허난설헌, 윤심덕, 나혜석처럼 자기 자신으로 살고 싶었다. 대학원까지 진학해서 고고학. 물리. 우주 등 뭐가 되었든, 연구하며 살고 싶었다.

#3. 휴면 중인 꽃봉오리

견뎌낸 날들이다.

내가 나를 보살피지 않았기 때문이다.

휴면 중인 나를 깨우기까지. 수십 년. 그동안에도 나는 꽃봉오리였다. 긴긴 휴면기간이 헛되지는 않았다.

✣

공무원

지방공무원

아버지가 공무원 시험을 치라고 했다.

지방공무원과 국가공무원 둘 다 붙었다. 첫 번째는 이웃 면사무소에서 근무했다. 첫 부서는 재무과였는데, 공시지가를 산정하는 시기였다. 한 달간 여관으로 출퇴근을 했다. 남자 직원들은 여관에서 묵고 여관에서 일했다. 공시지가를 산정하려면 지역의 토지와 임야와 주택에 대한 지적도를 알고 있고 주변의 상황도 어느 정도 알아야 할 수 있는 일이었다. 아무것도 모르는 나는 출근해서 그냥 앉아 있다가 퇴근했다. 다음번 부서는 민원실로 호적등본이나 주민등록등본, 인감증명서 등을 떼 주는 일을 했다. 그때는 호적등본을 보면서 일일이 손을 베껴 써야 했다. 지난번

직원은 필기 속도가 느려서 도와줘야 했지만, 나는 필기 속도가 빨라 도와주지 않아도 처리할 수 있어서 민원실 직원들이 좋아했다. 민원 수당으로 오천 원을 더 받았다. 월급은 뗄 것 떼고 남은 돈은 오만 오천 원 정도였다.

출퇴근은 시외버스를 타고 가야 했다.

출근 버스를 놓치면 두 시간 지각이다. 이럴 땐 도로가에 서 있다가 트럭이 지나가면 손을 든다. 면사무소까지 태워 달라고 하면 그냥 태워주었다. 한 번은 집에서 늦어버렸다. 아버지가 면장님에게 전화를 했다. 면장님은 아버지가 아는 분이었고 오토바이를 타고 출퇴근을 했기 때문이다. 그날 생전 처음이자 마지막으로 오토바이를 탔다. 비포장 길이라 엉덩이가 들썩 튀어 올랐다. 면장님의 혁대를 꽉 잡고 있는 것이 정말 불편했다.

국가공무원

국가공무원 발령이 났다.

전화국에서 근무했다. 처음에는 전화 요금을 계산했다. 이때는 할 일이 별로 없었다. 그래서 여섯 시 땡 하면 퇴근할 수 있었다. 다음엔 창구에 앉아서 전화 요금을 받았다. 처음엔 한 장 한 장 세었지만, 나중엔 손이 빨라졌다. 돈을 백 장씩 묶어야 했는데, 집어 들면 백 장, 백 장이었다. 생활의 달인이 된 것이다. 얼마 전 유튜브의 돈 세는 영상을 보았는데, 그때 나보다 못했다. 마감할 땐 주판을 사용하여 계산했다. 주판을 배운 적 없었지만, 실력이 조금씩 늘어갔다.

어느 날 마감할 때, 돈이 모자랐다. 조금 모자라면 그냥 내 돈을 넣어버리겠는데. 꽤 큰 금액이었다. 납기가 지났는데 납기 전 요금을 받았기 때문이다. 주소를 찾아 돈을 받으러 갔다. 그 사람은 순순히 돈을 주었다. 그 사람은 내가 남은 돈을 내어 줄 때, 잘못 내어주었다고 말해야 하는 건데. 그냥 간 것이다.

전화 회선 수가 늘어나면서 전화 요금 마감 날이 되면 사람들이 전화국 창구 앞에 길게 줄을 섰다. 그래서 은행에서도 전화 요금을 받게 되었다. 은행에서는 받은 전화 요금은 수표로 바꿔온다. 문제는 은행에서 받은 전화 요금고지서를 전화국으로 가져오는 것이었다. 자루에 넣어오는 고지서 뭉텅이를 일일이 주판으로 다시 계산해야 했다. 백 장씩 묶인 고지서를 한 장씩 넘겨 가며 전화 요금과 세금과 합계를 따로 계산해서 전화 요금과 세금 합한 것과 합계가 맞아야 했다. 틀리면 몇 번이라도 다시 해야 했다.

어느 날 한 사람이 화가 나서 찾아왔다. 전화 요금을 다 냈는데 통화가 정지되었다며. 내가 전화 요금 미납 번호를 다른 부서에 넘길 때 전화번호를 잘못 적은 것이다. 이럴 땐 잘못했다고 싹싹 빌어야 한다. 갑자기 전화가 불통이 되면 얼마나 속상하겠는가.

그 시절에는 청색전화, 백색전화가 있었다. 전화기 원본 서류 종이가 청색과 백색으로 나뉘어져 있었다. 백색전화는 팔 수 있는 전화였다. 사업을 하려면 전화가 필요한데...

전화를 넣고 싶어도 넣을 수 없는 시대였기 때문에 비쌌다. 전화를 사용하다가 다른 곳으로 이사를 가면, 전화 없이 몇 달을 살아야 하는 경우가 있었다. 그 지역엔 전화 회선 수가 적기 때문이었다.

종교 생활과 결혼생활

아버지의 병환으로 죽음이 두려웠던 나는 종교를 갖게 되었다. 행복했다. 종교 안에서 남편을 만나 결혼하게 되었다. 결혼할 생각이 없던 내가 결혼을 하게 된 것이다. 종교 생활과 결혼생활은 떼야 뗄 수 없다. 남편과 내 삶 자체가 종교와 이어져 있었기 때문이다. 자녀를 낳았고 때론 행복했고 때론 행복하지 않았다.

#4. 휴면에서 깨어난 꽃봉오리

어린 왕자가 좋았다.

어린 왕자를 찾아 사막을 여행하고 싶었다. 사막 어딘가에 있을 사막여우를 만나고 싶었다. 꽃 한 송이를 키우고 싶었다. 어린 왕자를 만나기 위해 길을 떠났다. 어린 왕자를 찾아가는 길목엔 사막여우들이 있었다. 내가 그 사막여우들에게 길들여졌다. 내가 사막여우에게 잘못 길들여지면서 나는 기나긴 터널 속을 지나가야 했다. 내가 사막여우를 길들였거나, 사막여우와 내가 서로 길들여졌다면. 좀 더 빨리 어린 왕자를 만날 수 있었을 것인데. 지금쯤 꽃이 활짝 피었을 것인데. 멀고도 험한 길에도 사막여우들이 있었다.

내 삶은 영화 기생충의 한 장면...

유리 위에서 벌어진 죽음의 줄다리기처럼 힘겨웠다. 사막은 멀리 있지 않았다. 내가 사는 세상이 바로 사막이었다. 어린 왕자를 찾으러 갈 필요가 없었다. 내 삶의 주인공은 나였기에 내 삶 속의 어린 왕자는 나였다. 내가 어린 왕자이듯 다른 사람 역시 어린 왕자고 사막여우다. 나는 어린 왕자인 동시에 사막여우로 살아간다. 나란 장미꽃을 피우면서.

✣

오십 대 후반에 직업을 갖게 된 계

수목원에서 자연지도사로 봉사할 때였다. 어느 해 수목원에서 자연지도자로 일할 사람은 채용한다고 했다. J회장님이 내게 지원해보라고 했다. 나는 "못해요."라고 말면서 거절했다. J회장님은 만날 때마다, 내게 지원하라고 했다.

전업주부 30년 차 나는 두려워서 지원하지 못했다. 다음 해였다. J회장님은 내게 또 지원하라고 했다. 만날 때마다 "서류 내보세요."라고 말했다. 나는 거절할 수 없어서, "네, 내 볼게요." 대답하고 말았다.

수목원에 지원 서류를 냈다.

약속을 지키기 위해서였다. 시연 시간은 3분이었다. 3분 안에 준비한 내용을 발표해야 했다. 먼저 시연하고 나온 분들이 시간이 짧아서 다 못했다고 했다. 3분 만에 무엇을 할 수 있겠는가? 내 차례가 되었다. 준비한 내용을 발표하는데 나도 모르게 "좀 더 해도 될까요?"라는 말을 하게 되었다. 면접관들이 좋다고 했다. 발표하면서 면접관의 얼굴을 살펴보니, 환하게 웃고 있었다. 다시 한 번 "좀 더 해도 될까요?"라는 말했다. 면접관들이 웃으며 좋다고 했다. 준비한 내용을 모두 발표했다. 환하게 웃는 면접관들의 모습에서 내가 합격했다는 확신이 들었다.

집으로 돌아오는 길에 남편에게 전화해서 큰 소리로 말했다. "나 합격했어." 남편이 "벌써 발표 났어?"하고 물었다. "아니, 방금 면접했는데... 발표는 무슨 발표."라고 내가 대답했다. "어쨌든 나 붙었어. 붙었다고."라고 말하면서 큰 소리로 웃었다. 정말 합격했다.

필자 작품 : 펭귄

✣

시를 배우다.

수목원에서 자연지도자로 봉사할 때였다. "선생님, 이번 식물 답사 갔다 온 후기를 우리 카페에 좀 올려주세요." J회장님이 말했다.

나는 "할 줄 몰라요."라고 대답했다. 그때 카페가 뭔지도 몰랐다. 이후 답사를 다녀올 때마다, J회장님이 후기를 아무도 올리지 않는다며 내게 부탁해왔다.

어느 날 많은 수고를 하시는 J회장님에게 미안한 생각이 들었다. 나도 모르게 "네, 올릴게요."라고 대답하고 말았다. 우선 카페에 가입했다.

글을 쓰려고 하는데 수많은 눈길이 나를 지켜보고 있는 것 같아 로그아웃하고 말았다.

글을 올린다고 했으니 글을 올려야 하는데...

익명의 시선이 느껴져 글쓰기가 망설여졌다.

약속은 지켜야 하니까...

다시 로그인하고 짧은 글을 썼다.

그 이후 답사 후기 작성자가 되어버렸다. 동료 선생님들의 댓글이 답사 후기를 계속 쓰게 해 주었다. 현장에 있는 듯 생생하게 느껴진다는 댓글이 가장 맘에 들었다.

어느 날, H선생님이 내게 말했다.

"선생님, 글쓰기 배운 적이 있어요?" 나는 대답했다.

"글, 생전 처음 썼어요."

"산문이나 운문 둘 다 소질이 있어요."라며 내게 "글쓰기 배워 보실래요?"했다.

나는 얼른 "네~ 배울게요."라고 대답했다.

H선생님의 소개로 찾아간 곳은 시를 가르치는 곳이었다. 시를 쓰는 것은 매우 어려웠다.

교수님은 낯선 시, 스냅사진 같은 글, 살아 팔딱팔딱 뛰는

필자 작품 : 바위 위 생쥐

생선 같은 글을 써야 한다고 했다. 김소월의 시 같은 시는, 김소월의 시대, 김소월의 시라서, 현대에 사는 내가 쓰면 안 된다고 했다. 수십 년 전의 옷감으로 아무리 디자인을 현대적으로 한다고 해도 볼품없는 옷이 되는 것과 같다고.

P교수님이 내게 "감각이 있어요."란 말을 했지만, 시 쓰기를 배운 건, 시를 읽고 이해할 수 있게 된 것으로 의미를 둔다.

✣

스토리텔링 생태공예 프로그램을 개발하다.

KBS대구방송국 아침마당에 출연한 적이 있다. 생태공예연구가, 숲해설가로... 가족 외엔 아무에게도 말하지 않았는데, 그날 아침 바로 지인들에게 전화가 왔다. 내가 나오더라며...

나는 수업을 해야 해서 본방송을 못 봤는데, 아나운서와 진행자들이 편하게 말을 할 수 있도록 해줬다. 그래도 내가 나오는 아침마당을 보면, 정말 민망하다.

2019년 수목원에서 생태공예 전시회를 했다.

수목원에서 근무할 때, 틈틈이 자연물로 만들기를 했다. 수목원에는 자연물 재료가 많았다. 첫 번째 내가 만든 것은 반지였다.

죽순 껍질을 잘라 머리를 땋듯이 땋았다. 글루건으로 붙여서 동그랗게 만든 뒤 꽃잎 모양으로 잘라 붙인 뒤 메타세쿼이아 열매를 붙였다. 숲 해설에 참여한 사람에게 선물로 주기도 했다.

경북의 어느 지역에서 의용소방관들이 숲체험을 왔다. 서로 이야기를 나누는 중에 한 의용소방관이 실연했다고 했다. 같이 오신 분들과 내가 함께 위로해주었다. 위로되었는지 모르겠지만. 숲체험을 끝낼 때, 그 의용소방관에게 반지를 주었다. 사랑하는 사람이 생기면, 주면 좋겠다며...

그때 의용소방관이 너무나 좋아했다. 숲해설가 직무교육을 갔을 때도 다른 지역에서 온 숲해설가들에게 선물로 나눠주었다. 숲해설가들이 너무 좋아했다.

이렇게 시작한 생태공예로 스토리와 결합한 프로그램을 만들었다. 스토리텔링 생태공예 프로그램을 어르신, 장애인, 학생들과 수업을 한다. 참여자들은 동심으로 돌아갔다고 하면서 너무 행복한 시간이었다고 한다.

올해 한 복지관에서 숲체험 상반기 결산 회의를 할 때였다. 숲체험에 참여한 한 뇌병변 장애인이 소감을 말했다. 며칠 전 병원에 가서 검사를 했는데. 의사가 고지혈증이 사라졌다면서. 약을 주지 않았다고 했다.

남편이 숲체험이 준 기적이라고 말하더라고 했다. 이 분은 숲체험을 하는 것이 너무나 힐링이 되고 기쁘다면서 앞으로도 계속하고 싶다고 했다.

✣

뒤늦게, 나를 찾다.

이십 대에 종교를 갖게 되었다. 종교 안에서 남편을 만나 결혼했다. 가족을 위해 내 꿈을 포기했듯, 종교 생활과 결혼생활도 그러했다. 남편은 남편대로 나는 나대로 최선을 다했지만 행복하지 않았다, 자녀들과의 갈등도 있었고, 남편과의 갈등도 있었다.

모든 것이 남편이 원인인 것 같아 남편을 원망했다. 종교가 나를 행복하게 해 줄 수 없다는 걸 깨달았다. 통신대 교양학과에 진학하여, 세상에 대해서 체계적으로 공부하면서, 역사, 물리, 우주와 지구의 탄생, 생명의 탄생, 동식물의 탄생과 진화, 심리학, 진화심리학, 철학 등을 공부했다. 얼마 남지 않는 시간을 어떻게 살아야 할지 수년 동안 생각하고 고민했다.

모든 원인은 나였다.

남편에 대한 원망이 사라졌다. '여보, 당신'이 아니라 서로 별명을 부르게 되었고. 매일 엉뚱한 소리를 하면서 장난치고 웃으며 지낸다. 나만 바뀐 게 아니라, 남편 또한 많이 변했다. 우리를 바꿔 준 건 종교가 아니다. 자신을 돌아보면서 어떻게 살아갈지 고민하면서 공부했고 상담을 받았기 때문이다.

마침내 나는 홀로 섰다. 남편과 종교에 기대지 않아도 행복하다. 내가 누구인지는 여전히 모르지만, 내가 무얼 할 때 행복한지 안다. 내가 원하는 일을 하면서 살아간다.

#에필로그. 나는 꽃피는 중이다

나는 내가 부끄러웠다. 내가 원하는 내 모습이 아니었기 때문이다. 내가 원하는 내 모습은 아니지만, 내가 원하는 내가 되기 위해 살아가는 지금, 나는 내게 당당하다. 내 묘비명이 '도전하는 삶을 살다.'이지만, 나는 무덤에 들어가 있고 싶지 않다.

화장해서 선산에 뿌려주기를 원한다. 자연은 순환하는 거니까. 나라는 생명은 자연의 순환 과정에서 생겨난 것이다. 죽음도 마찬가지다. 죽음으로 인해 내가 사라진다고 생각지 않고, 죽음이 나를 자유롭게 놓아준다고 생각한다. 하지만 내가 살아있는 동안 여러 가지 경험을 하고 싶다.

숨을 들이마시고, 내뱉은 호흡과 생명, 얼마나 신비로운가.

우리가 서로 마주 보고 웃는 것 또한 얼마나 경이로운가. 우리는 왜 울고 웃는가. '숨을 들이쉬고 내뱉는 호흡과 생명이라 쓰는데, 심장이 흔들린다. 눈에는 눈물이 고인다. 가슴이 싸해지면서 아프다.

한 줌 구름이 되었다가 한줄기 비가 되기도 하고, 한 송이 꽃으로도 피어날 수 있는 원소로서의 내가, 나는 좋다. 생명이 떠나가고. 남은 내 몸이 모두 원소가 되어, 멀리 흩어질수록 나는 어디에나 존재하는 존재가 된다. 어느 날 내가 딸에게 대답한 말처럼.

"엄마가 죽고 나서, 엄마가 보고 싶으면 어디 가지?"라고 딸이 말했다. "수목원, 오늘의 나를 있게 해 줬으니까."라고 대답하다가 다시 말했다. "어느 날 네 눈에 구름이 보이면 그 구름이 나고, 바람이 불면 그게 나고. 꽃 한 송이가 눈에 들어오면 그게 나야. 나는 어디에든 있어."

내 삶의 순간들을 어루만져본다. 모든 순간에 나는 꽃으로 피어나고 있었다.

씨앗도 꽃이고, 떡잎도 꽃이고, 풀 한 포기도 꽃이듯...

나는 꽃이다.

필자 작품 : 바위 위 사자

2장. 삶을 기록하는 자기표현 방법

1. 자기표현
2. 자기표현의 글쓰기
   1) 글쓰기의 분류
   2) 자기 표현적 글쓰기의 특성
   3) 자기 표현적 글쓰기의 과정
3. 전기와 자서전
   1) 전기문
   2) 자서전
4. 자서전의 다양한 사례
   1) 음악을 활용한 자서전
   2) 영상을 활용한 자서전
   3) 디지털을 활용한 자서전
   4) 집단미술치료를 활용한 자서전
   5) 시를 활용한 자서전
   6) 그림을 활용한 자서전
   7) 만화를 활용한 자서전
   8) 사진을 활용한 자서전

2장. 삶을 기록하는 자기표현 방법

1. 자기표현

글쓰기 영역에서의 자기표현이란 자신의 경험을 활용하여 내적으로 의사소통하고 탐색하는 것, 어떤 대상에 대한 자신만의 의견을 떠올리는 것, 세상에 대한 자신만의 반응을 표출하는 것을 목적으로 하는 것이다(최숙기, 2007).

글쓰기란 어떤 것인지, 글쓰기 교육에서 중요한 것이 무엇인지에 대한 생각은 사람마다 다를 것이다. 하지만 글쓰기가 자기를 표현하는 행위이며, 글쓰기를 통해 보다 나은 자신을 추구하여야 한다는 데에는 이견이 없을 것이다. 따라서 글쓰기 교육의 출발점은 솔직하고 구체적인 '자기표현'이라고 할 수 있다(강은주, 이봉희, 2007).

그러나 자신을 표현하는 일은 그리 쉬운 것이 아니다. 먼저 인간이 지니고 있는 불안감, 열등감, 죄책감 등의 기본적인 정서는 본연의 나를 표현하지 못하도록 작용한다. 그리고 우리의 일상생활에 자리 잡고 있는 유교적인 가치관과 주입식 교육이 자신을 솔직하게 표현하는데 기회를 갖지 못하게 하고 있다.

그럼에도 불구하고 자신을 있는 그대로 표현하게 하는 글쓰기 교육은 매우 중요하다. 자기표현이 적극적으로 이루어졌을 때 자기이해, 자기수용, 자기실현의 단계로 나아갈 수 있기 때문이기도 하지만, 글쓰기 능력 또한 높은 수준으로 발전할 수 있기 때문이다.

자신을 표현하는 방식은 다양하다.

사진, 영상, 음악 연주, 노래, 춤, 그림, 만들기 등도 자신을 표현하는 방식들이다. 그러나 글쓰기는 이러한 표현 양식들보다 훨씬 솔직하고 구체적인 효과를 달성할 수 있다. 이는 글쓰기가 지닌 고백 · 직면 · 동화의 원리에 의한 것이다(강은주, 이봉희, 2007).

- 고백(Confession)

  고백은 자신의 정서를 인식하는 것뿐만이 아니라 감정과 결핍동기, 그리고 경험과 사건 등을 생각하고 말이나 글로 표현하는 것을 말한다. 고백의 효과는 대부분의 종교에서 이루어지고 있는 고해성사 같은 엄숙한 고백 의식에서 찾을 수 있다. 인간은 고백을 통해서 자신의 감정과 결핍동기를 해소하거나, 육체와 정신의 연결을 경험함으로 비로소 자신을 이해하게 된다.

- 직면(Confront)

  직면은 회피, 무관심, 억제, 변환과 반대되는 개념이다. 인간은 부정적인 경험이나 슬픈 정서를 표현하지 않고 억제하거나, 그것에 대해 관심이 없는 척하고 중요하지 않은 것으로 무시해 버린다. 또 그것을 일부러 회피하거나 딴청을 부리고 다른 것으로 생각을 돌린다. 그러나 글쓰기는 과정 면에서 직면하게 하는 힘이 강하다. 직면하게 되면 회피, 무관심, 억제, 변환들을 이해하는 힘이 생기고 궁극적으로 극복할 수 있는 역량을 갖는다.

- 동화(Assimilation)

  동화는 개인이나 집단이 타인의 태도나 감정을 취득하여 경험, 사건, 문화 등을 공유하게 되는 사회화 또는 사회화 과정에서 발생하는 사회관계 속에서의 균형 상태를 의미한다. 글쓰기를 통해 자신을 고백하고 직면하게 되면 진정한 자신을 이해하게 되고 타인과의 관계, 또는 문화나 사회적 맥락 안에서 폭넓은 균형 감각을 터득함으로써 자신의 문제를 해결할 수 있다.

이처럼 글쓰기는 다른 표현방식에 비해 고백, 직면, 동화의 원리에 기인하여 자신을 솔직하고 구체적으로 바라보고 이해할 수 있는 효과적인 표현방식이다. 결국 글쓰기가 지닌 고백과 직면의 힘이 자신의 경험과 사건들을 정확하게 이해하게 하고 동화하게 함으로써 자신에게 발생한 부정적인 감정과 결핍동기를 해결하게 할 것이다.

2. 자기표현의 글쓰기

글쓰기는 자신에서 출발하여 결국에는 자신에게로 돌아오는 과정이고 행위이다. Heidegger가 글쓰기를 "존재의 시간"이라고 하였듯이 글쓰기는 자신의 존재를 확인하는 행위인 동시에 존재를 확인해가는 과정이다. 이러한 과정을 위해서는 먼저, 글쓰기가 자신을 표현하는 행위이어야 하며 솔직하고 진실하게 자신을 표현하는데 익숙해져야 자신을 이해할 수 있다(정기철, 2010).

자신을 표현하는 글쓰기가 중요한 이유는 자신을 표현하는 것이 글쓰기의 필요 성분이기 때문이기도 하지만, 보다 나은 자신의 삶을 위해서도 매우 중요한 요소이기 때문이다. 일반적으로 자신은 자기표현 → 자기이해 → 자기실현 → 자기창조의 단계를 거쳐 성장하며, 보다 나은 단계로 나아가게 된다. 이러한 단계는 전 단계를 충실하게 완수하였을 때에야 비로소 다음 단계로 넘어갈 수 있고 어느 하나를 건너뛰거나 생략해서는 완성되지 않는다.

인간은 자신을 나 아닌 다른 대상이나 타인에게 표현했을 때 되돌아오는 반응과 울림 속에서 나를 더욱 구체적이고 정확하게 구체적으로 이해할 수 있다. 나를 있는 그대로 표현하였을 때 보다 정확한 자신의 모습을 바라볼 수 있다.

정기철(2010)은 자신을 표현하는 일이 글쓰기에서만 중요한 것이 아니라 보다 나은 '삶'을 위해서도 중요하다고 보았다. 자기표현으로 얻은 투명한 지각은 삶의 모든 영역에서 작동하여 삶의 모든 것을 있는 그대로 받아들일 수 있고 그 과정에서 자신을 있는 그대로 이해하고 수용할 수 있다. 그리고 자기 이해를 거쳐야만 '자기실현'을 이룰 수 있다. 이러한 이유에서 '글쓰기는 곧 삶'이라는 등식이 성립될 수 있다.

자기를 표현하는 것만으로도 자신에게 커다란 긍정적인 변화를 일으킨다는 연구는 다양한 분야에서 입증되었다. 생리학, 생물학, 신경학, 정신건강학, 심리학뿐만 아니라 행동양식학, 인간관계학 등에서도 자기표현의 긍정적인 효과를 입증하고 있다. 즉, 자기를 표현하는 것 자체만으로도 자신의 신체와 정신을 건강하게 할뿐만 아니라 자신의 행동양식, 타인과의 관계의 양과 질에서도 긍정적인 효과를 볼 수 있다는 것이다(이봉희, 2007).

김미란(2009)은 자기표현적 글쓰기를 자기 자신을 주제화하는 글쓰기를 자기표현적 글쓰기로 보았으며, 오임순(2009)은 글쓰기를 보다 사적이고 개인적인 글로써 자신의 경험이나 대상, 사건에 대한 자신의 정서나 느낌을 형식에 구애 없이 자유롭게 표현하고 기술하기 위한 글쓰기라 정의 하였다. 이수미(2012)는 필자의 경험과 지식을 바탕으로 기술되는 자신의 이야기이며 서술적 자아가 경험하거나 이미 획득한 지식을 바탕으로 기술되는 것으로 '즐거움의 실현'과 '정보 제공'을 목적으로 한다고 하였다.

이러한 유형의 글쓰기가 가지는 가장 큰 목적은 글을 읽는 사람으로 하여금 글을 쓰는 필자의 관점 안으로 들어와 감정과 경험에 대해 공감하도록 하는 것으로(최숙기, 2007) 자기표현적 글쓰기는 다른 유형의 글과는 다르게 글쓰기 주체로서 필자의 글쓰기 수행에 있어 가장 큰 의미를 갖는다고 볼 수 있다(김정란, 2014).

자기표현적 글쓰기는 정보 전달이나 설득을 위한 글쓰기에 비해 다양한 작문 맥락에서 활용될 수 있다. 예를 들어 글의 맥락에 따라 자신의 내면을 치유하기 위한 목적으로 특정한 독자를 선정하지 않은 경우에는 Therapy 글쓰기로 이루어질 수 있으며, 자신의 깨달음이나 성찰을 다수의 독자에게 전달하기 위한 목적인 경우에는 경험을 공유하는 Social 글쓰기로 이루어질 수도 있다(최숙기, 2007).

1) 글쓰기의 분류

Britton 외(1975)는 Jacobson(1960)과 Moffet(1968)의 쓰기 유형 분류의 이론을 부분적으로 수용하여 자기 표현적 글쓰기를 기능으로 분류하여 의사소통적 글쓰기, 자기 표현적 글쓰기, 문학적 글쓰기로 분류하였다. Britton 외(1975)는 『쓰기 능력의 발달(The Development of Writing Ability)』저서를 출간하여 글을 유형화하는 방법에 대해 자세하게 다루었다. Britton 외(1975)의 분류를 정리한 것은 다음과 같다.

<표 1> Britton 외 (1975)의 분류

문학적(poetic) 글쓰기	자기 표현적 (expressive)글쓰기	의사소통적 (Transactional)글쓰기
보다 공적임	보다 사적임	보다 공적임
의미는 함축적임	자아(the self)에 가까움	의미는 명시적임
소설, 시	편지, 저널, 개인적 에세이, 자서전	설명문, 논설문, 과학보고서

출처: Britton 외(1975). The Development of Writing Ability. 11-18.

Britton 외(1975)는 일상적 언어 가운데 '자기 표현적 언어'란 가장 자아에 근접하고 사적인 것이라 설명하였고 필자가 매우 인습적이고 개인적인 방식으로 글을 쓸 때마다 항상 자기 표현적 글쓰기 유형으로 나아간다고 보았다.

이러한 자기 표현적 유형에서 필자들은 저널, 편지, 에세이, 자서전과 같은 형식으로 글을 쓰는 경향이 있으며 이러한 글을 쓸 때 필자들은 어떤 생각에 몰입하고 자신의 생각을 강조하고 자유를 획득하게 된다(Collins, 1985).

그리고 언어가 공적일수록 관점이 다르게 나타날 수 있는데, 과학보고서와 같은 '의사소통적 언어'를 사용할 때 텍스트의 목적은 명시적인 방법으로 의미를 전달하는 것으로 보았다. 이에 반해 시, 소설, 단편 소설과 같은 '문학적 언어'는 대개 그 의미를 암시적으로 전달한다고 보았다.

2) 자기 표현적 글쓰기의 특성

(1) 쓰기 목적 선택

자기 표현적 글쓰기는 개인의 삶의 경험을 전면에 내세워 글로 표현하는 행위지만, 구체적 글쓰기 목적에 따라 내용 선정과 표현 방법, 텍스트 유형을 다양하게 선택하여 글로 표현할 수 있다. 자기 표현적 글쓰기를 하기 전, 인생사 경험이 어떤 내용을 담고 있는지 그리고 그러한 내용을 바탕으로 하여 어떠한 목적으로 글을 쓸 것인지에 대해 먼저 고민할 필요가 있다(최숙기, 2007).

자기 표현적 글쓰기의 목적을 분류할 때는 글쓰기의 공개성에 대해 먼저 고려하여야 한다. 그리고 이러한 공개성의 여부를 바탕으로 쓰기의 목적을 나누어 생각해 볼 수 있다. 공개 가능성의 유무에 따라 자기 표현적 글쓰기의 목적은 사적인 측면과 공적인 측면으로 나누어 살펴볼 수 있는데, 전자는 공개를 전제로 하지 않은 글쓰기이고 후자는 공개를 전제로 한 글쓰기이다. 이를 정리하면 다음과 같다.

▪ 글쓰기 목적

- 공적인 측면: 자신을 타인에게 털어놓기 혹은 삶의 경험을 공유하기 위한 표현적 목적의 글쓰기

- 사적인 측면: 개인적 성찰 및 문제해결을 위한 자기 성찰 및 치유적 글쓰기

자기 표현적 글쓰기는 공적인 측면의 글쓰기에 해당된다고 볼 수 있다. 이는 자신의 삶의 경험과 생각이나 느낌 등을 타인에게 털어놓기 혹은 공유하기 위한 글쓰기에 해당한다고 볼 수 있다. 이때 선택한 삶의 경험의 내용에 따라 이러한 공적인 측면의 자기 표현적 글쓰기는 다시 다양한 세부 목적으로 분류될 수 있을 것이다.

사적인 측면의 자기 표현적 글쓰기는 두 경우로 나뉠 수 있다.

첫째, 누구에게도 공개하지 않고 자신의 고통, 고민, 삶의 상처들을 털어놓는 것으로 이는 스스로 자신의 삶을 성찰하고 치유하고자 하는 목적에서 글을 쓴 경우라 할 수 있다.

둘째, 상담자라 할 수 있는 대상에게 이러한 고통, 고민, 삶의 상처의 내용들을 털어놓고 소통하는 것이다. 자기 표현적 글쓰

기에서 이렇게 비공개적 글쓰기를 선택하는 이유는 고백이 갖는 위험성 때문이다. 이와 관련하여 Borchers(1999)는 대인관계 맥락에서 행해지는 고백은 상대방으로부터 부정적인 평가를 받거나 공개된 정보가 악용될 수 있으므로 상당한 위험 부담을 안고 있다고 말한다.

따라서 자기 표현적 글쓰기에서 중요한 것은 '경험에 대해 전해지는 상황과 반응'이라 할 수 있다. 이러한 자기 표현적 글쓰기의 목적에 따라 사적인 측면, 공적인 측면에서의 글쓰기의 내용 및 표현 방식에 차이가 나타날 수 있다.

(2) 텍스트 유형 선택

자기 표현적 글쓰기는 자신의 삶 가운데 경험한 일을 기술하고 그와 관련한 느낌이나 생각을 표현하는 글쓰기이라 할 수 있다. 필자 중심의 사적인 글이고 예상독자나 형식에 대한 자율성을 가지고 있으며, 글쓰기의 목적은 자신의 삶의 경험에 대한 기술, 감정, 느낌이라 할 수 있다.

그러나 이러한 자기 표현적 글쓰기가 '소통적 글쓰기'와는 확연하게 다른 반면, 문학성이 드러나는 글과 같은 경우는 '자기 표현적 글쓰기'와 관련성을 맺고 있다.

Britton 외(1975)는 문학적 글쓰기와의 분류에 기반 한 자기 표현적 글쓰기에 대한 정의와는 다르게 Kirby & Kantor (1983)의 구분에서 '표현을 목적으로 하는 글'은 독자를 필자 자신의 관점에 끌어들여 정서적으로 감동시키는데 그 목적이 있다고 보았다. 동시, 동화, 이야기 글, 일기, 생활문 등 주로 개인적인 글, 또는 문학적인 특성을 지닌 글이 여기에 해당되며, 이 글들의 공통점은 필자의 느낌과 생각, 정서, 상상력 등을 기반으로 하며 독자로 하여금 글에 대한 감정이입을 통해 카타르시스 효과를 획득하는 문학적 특성을 지닌다고 보았다(Kirby & Kantor, 1983).

이때의 자기 표현적 글쓰기는 문학적 상상력을 기초한 글을 포함하고 있다는 점을 살펴볼 수 있는데, 이는 자기 표현적 글쓰기의 개념이나 표현 유형에 있어 혼란을 야기 할 가능성이 있다.

자기 표현적 글쓰기란 자신의 생활경험을 중심으로 하여 글을 쓰고 느낌이나 생각을 기술하는 것을 의미한다고 본다. 이때의 글쓰기 표현 행위는 독자에게 어떠한 문학적 상상력을 기반 한 것은 아니며, 표현의 과정 가운데 문학적 표현으로 은유, 직유, 상징, 알레고리 등의 사용이 가능하다는 수준에서 '문학성 있는 글'의 범주를 수용하고자 한다(Kantor, 1983).

- 텍스트 유형
  - 일기, 편지, 저널, 에세이, 자서전, 문학적 상상력을 배제한 문학성이 있는 글

텍스트 유형은 자기 표현적 글쓰기가 표현될 수 있는 것들이며 목적이나 내용에 따라 적절히 선택되고 표현될 수 있다. 예컨대, 여행에 대한 경험에서 자기 표현적 글쓰기를 한다면, 이때 느낀 즐거움, 만족감 혹은 어려움에 대한 경험을 쓰는 것은 단순히 일기 형식이나 생활문 형식에서의 개인적 수필로 표현할 만한 것이다. 그러나 자신의 삶을 전반적으로 돌아보고 이러한 삶에서의 고백적 내용을 담고자한다면, 자서전 쓰기 또한 좋은 방법이다.

Lejeune(1975)는 자신의 경험을 진술하는 적극적인 방법이

자서전을 쓰는 것이라 보았으며 그는 자서전을 자기 자신의 존재를 소재로 하여 개인적인 삶, 특히 자신의 인성의 역사를 중점적으로 이야기한 산문으로 쓴 과거 회상형의 글이라 할 수 있다고 보았다.

자서전적 글쓰기는 자신의 생애와 관련 있기 때문에 자기 고백적인 글이라 할볼 수 있다. 이때의 고백이란 자신의 삶 가운데 중요한 경험에 대해 털어놓음으로써 모든 것이 안정되는 것을 말하며, 자신이 숨겨온 것에 대해 타인이나 자기 자신에게 언어적인 방식으로 개방한다는 것을 의미한다(이은정, 조성호, 2000). 또한, 자기 표현적 글쓰기로서의 자서전 쓰기는 필자의 자기반성 및 문제 해결에 보다 적극적으로 기여할 수 있다.

자기 표현적 글쓰기는 일기, 편지, 저널, 에세이, 자서전 등의 텍스트 유형으로 표현될 수 있다. 문학적 상상력에 기반한 허구가 아니라 문학적 표현을 사용한 문학성 있는 글을 포함하며, 이러한 텍스트 유형들은 자기 표현적 글쓰기의 표현 목적과 내용에 따라 다양하게 선택될 수 있다.

(3) 내용 선택

자기 표현적 글쓰기의 내용은 필자가 자신의 삶의 경험과 이에 대한 느낌과 감정을 포함하고 있다. 이러한 경험은 일상적인 사건이 될 수 있고 혹은 그러한 일상성을 넘어선 의미 있는 사건일 수도 있다.

어떤 목적과 유형으로 자기 표현적 글쓰기를 하는가에 따라 내용 선택에는 차이가 있다. 그 이유는 쓰기 맥락이 공개성의 정도에 관여하기 때문이며 이는 내용 선택에 있어 매우 중요한 조건이라 볼 수 있다.

자기 표현적 글쓰기의 가장 대표적인 종류인 '일기'는 의도된 독자를 기본적으로 설정하지 않고 자신의 경험에 대한 기술, 사건과 관련한 자신의 느낌, 감정, 기억에 대한 기술을 중심으로 한 글쓰기이다.

▪ 경험 범주

- 긍정적인 경험 : 성취, 만족, 기쁨, 행복 등에 관련된 내용을 바탕으로 한 의미 있는 사건

- 부정적인 경험 : 좌절, 불만, 슬픔, 분노, 고통 등에 관련된 내용을 바탕으로 한 의미 있는 사건

3) 자기 표현적 글쓰기의 과정

자기 표현적 글쓰기의 과정은 두 가지 유형으로 나뉜다.

제1유형인 사적 글쓰기로서의 과정이고 제2유형인 공적 글쓰기로서의 과정이다.

이 두 과정 모두 일반적인 글쓰기 과정인 '계획하기 → 내용 생성 및 조직하기 → 표현하기 → 고쳐 쓰기'를 따르지만 앞서 논의한 글쓰기 목적에 따라 과정에 차이가 있다(최숙기, 2007). 그러나 기본적인 5단계는 제1유형과 제2유형이 동일한 과정으로 드러난다.

이 두 유형의 차이를 만드는 것은 목적에 따른 대상 인식이나 내용 선택과 관련이 깊다. 제1유형의 과정을 나타낸 것은 다음과 같다.

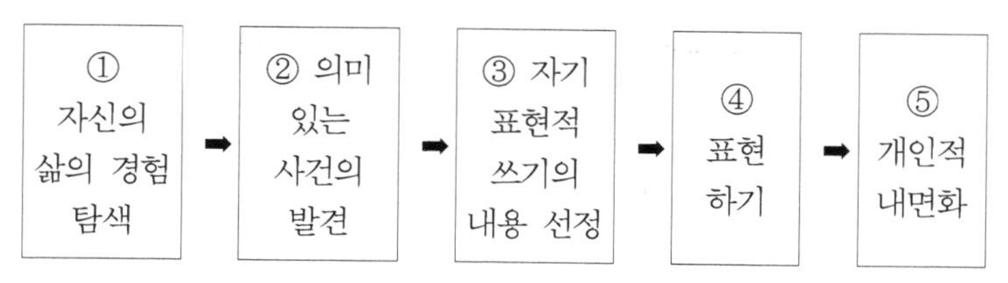

제1유형: 사적 글쓰기로서의 자기 표현적 글쓰기 과정

제1유형의 자기 표현적 글쓰기의 1단계는 '자신의 삶의 경험을 탐색'하는 것이다. 주로 사적인 목적이라 함은 내용이 공개되지 않은 수준에서 자기 성찰적, 자기 치유적 글일 가능성이 많기 때문에 내용 선택에 있어 이러한 목적에 근거하여 글을 선택할 것이다.

2단계는 자기 표현적 글쓰기를 위한 자기 경험을 탐색하여 선택한 내용 가운데 실제로 '의미 있는 사건의 발견'해 나가는 과정이다.

3단계는 선택한 경험을 바탕으로 하여 '자기 표현적 쓰기의 내용을 선정'하는 것이다. 여기에서도 질문은 매우 효과적일 수 있는데 Cobine(1996)은 자기 표현적 글쓰기의 과정 중 주제선택과 관련한 질문에 대해 다음과 같은 내용을 제시하였다.

▪ 주제 선택에 고려할 질문 사항

① 내가 선택한 주제는 보기 좋은지? 듣기 좋은지? 기분이 좋은지?

② 내가 선택한 주제는 나에게 익숙한지? 익숙하지 않은지?

③ 이 주제는 나의 어떤 면을 떠올리게 하는지?

④ 이 주제는 어떤 부분으로 구성되었는지?

⑤ 이 주제를 통해 나는 무엇을 쓸 수 있는지?

⑥ 이 주제와 관련하여 좋은 이유는 무엇인지? 싫은 이유는 무엇인지?

4단계는 '표현하기'이다. 자기 표현적 글쓰기는 일기와 같은 성격을 가지고 있기 때문에 자신의 글을 읽을 대상 선정은 그다지 중요한 것은 아니며, 이 단계에서 중요한 것은 자신에 대한 성찰, 반성, 그리고 치유라 할 수 있다.

5단계는 '개인적 내면화'이다. 자신의 삶속에서 의미 있는 사건을 서술하면서 이때 느낀 자신의 감정을 정리해 나가면서 그 의미를 성찰하고 반성한다. 그리고 삶의 문제를 글로 표현하는 가운데 보다 객관화된 자신을 돌아보고 반성하는 등의 개인적 내면화를 거친다.

제2유형의 과정은 이러한 5단계의 내용을 모두 동일하게 거치지만, 끊임없이 공적 글쓰기의 맥락을 고려하게 된다. 다른 의사소통적 글에 비해 글의 유형, 형식에 대한 제약은 낮은 편이며 제1유형에 비해 이러한 고려는 제2유형에서 보다 강조된다.

이 과정을 나타내면 다음과 같다.

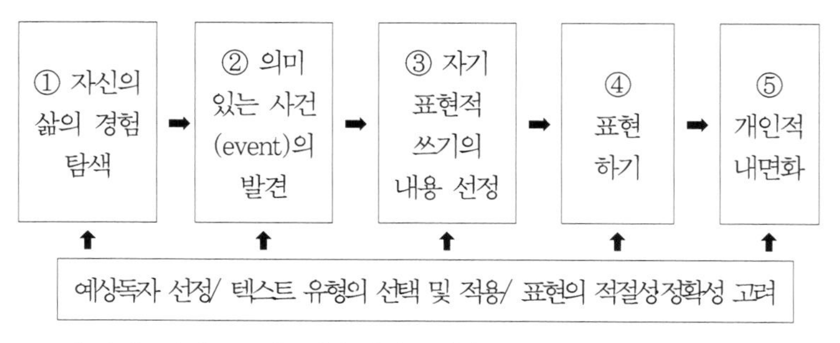

제1유형 : 사적 글쓰기로서의 자기 표현적 글쓰기 과정

제2유형의 과정 가운데 또 다른 차이점은 개인적 내면화 과정에서 나타난다. 제1유형의 경우는 자신의 삶의 경험, 그리고 문제에 직면하는 가운데 자신을 성찰, 치유하는 반면, 제2유형에서는 다른 사람들과의 삶의 공유를 통해서 보다 더 깊은 내면화를 이루어 낼 수 있다. 이는 '타인과의 공유를 통한 내면화'라 할 수 있다.

Borchers(1999)는 타인과 관계에서의 고백은 자신의 중요한 정보를 드러냄으로써 자신의 행동을 예측할 수 있도록 하고, 친밀감이나 신뢰감이 깊어진다. 또한 고백된 내용이 타인에게 수용될 때 자기 수용 및 자기 이해와 문제 해결 능력의 향상이라는 순기능을 가지기도 한다.

이렇게 자기 표현적 글쓰기를 통한 털어놓기, 수용을 통한 공유감 증대, 상대에 대한 이해는 공적 글쓰기로서의 자기 표현적 글쓰기의 특징을 보여주는 과정이라 볼 수 있다.

3. 전기와 자서전

문학의 주요 장르가 되는 전기와 평전, 자서전, 회고록은 대표적인 자기표현 양식으로 일정한 양식의 줄거리를 통하여 개인의 삶 또는 그 역사를 재현한다는 데 공통점을 갖는다. 이들 장르는 궁극적으로 모든 형태의 문학적 글쓰기가 전기적 또는 역사적 관점에서 접근될 수 있다는 점을 가능하게 하며 전기, 자서전은 개인의 삶이 갖는 주관적 차원을 강조함으로써 보다 목표와 가치를 갖는 객관적 또는 이론적 글쓰기와 대조되는 영역을 확보하는 것이다. 전기와 자서전은 실제 삶을 글로써 표현하는 과정은 곧 현실에 이야기 요소를 개입시켜 문학의 테두리에 이들을 유도하는 결과를 가져오기 때문이다(최경도, 2008).

전기와 자서전이 주목받는 이유는 생명이 없는 자료에 활력을 불어넣어 개인의 삶을 항상 새롭게 조명하기 때문이다. 이러한 과정을 통하여 개인의 삶이 과거에 머물지 않고 생동감 있는 실체로 탄생하여 현재 또는 미래의 독자들에게 인간성의 특질을 제시할 때 그 가치가 발휘되는 것이다. 전기와 자서전은 한 시대를 대표하거나 일반인의 호기심을 자극하는 인물들을 다양한 시각에서 관찰하여 독자들로 하여금 개인의 삶에 감추어진 진실을 발견하게 한다. 전기와 자서전은 개인의 삶에 대한 수많은 자료에서 출발하지만 글쓰기 과정 보다 정확히는 창작 과정을 통하여 한 인물에 대한 실체를 부각시킨다.

그러므로 독자들이 전기나 자서전을 통하여 한 인물을 새롭게 발견한다는 것은 자신을 알게 되는 과정이며 자신을 안다는 것은 다른 사람을 더욱 잘 알 수 있는 방편이 된다(최경도, 2008).

Ellis(2000)는 전기와 자서전이 갖는 효용성이 살아가는 방식의 예를 독자들에게 제시하는 데 있다고 보았다.

첫째, 개인의 삶을 다루는 전기와 자서전 이 우리의 호기심을 충족시켜 준다는 것은 호흡만큼이나 자연스럽고 자신을 합리화하는 길이며 카플란 의 표현처럼 그것은 이야기와 인물을 통하여 우리의 체험을 정비하고 역사와 다른 사람들을 보는 방법을 깨우쳐주는 역할을 한다.

둘째, 지금까지 등장한 많은 이론들이 결과적으로 학문과 외부 세계의 간격을 넓히고 말았지만 전기와 자서전은 내용의 사실성과 문학적 구성으로 인해 독자들의 지속적인 관심과 흥미를 끄는 분야가 되었다. 또한 전기와 자서전은 '이론이 개입되지 않은 삶'의 현실을 문학적으로 재현하는 경로로서 오늘날 유행하는 많은 문학서들 가운데 전문 비평가들과 독자들이 함께 주목하는 희귀한 분야가 된 것이다. 전기와 자서전에 대한 흥미는 여기서 다루는 인물들의 범위가 제한되지 않는다는 데 있다. 전기와 자서전에서는 정치인, 사업가, 작가, 예술가 등 일반인들이 관심을 갖는 다양한 부류의 인물들이 항상 새로운 시각에서 서술될 수 있는 가능성이 열려 있다.

1) 전기문

전기(biography)는 특정한 인물의 남다른 경험이나 업적에 대하여 그 인물이 겪은 실제 사실을 바탕으로 기록한 글로써 전기문은 실제로 살아 있던 인물의 일생이나 일생의 일부를 기록한 것이며, 전기문 속의 모든 인물, 장소, 사건 등은 실제로 있었던 일들이다. 전기문은 중심인물의 활동과 그 동기, 활동에 참가하거나 관계한 다른 인물 등에 의하여 전개되므로 소설과 같이 일정한 줄거리를 가진다.

전기 속의 사건들은 작가가 드러내려는 주제와 관련되는 것들로 주로 선택된다. 전기는 실재했던 인물의 이야기라는 점에서 독자들에게 감동적인 교훈을 준다.

(1) 전기문의 특성

전기문은 실재했던 인물의 일생, 도는 일부를 그 시대 또는 후세의 사람들이 사실 그대로 기록한 글이다. 따라서 전기문은 그 인물의 남다른 경험이나 업적, 인격이 글 내용의 토대가 된다.

전기문에 나타난 주인공의 삶과 생활 태도 등을 통하여 독자들은 자신의 모습과 비교, 반성하면서 삶의 지표로 삶을 수 있으므로 전기문은 교훈적인 성격이 강한 글이다.

전기문의 또 하나의 특징은 사실성이다. 한 편의 이야기로 구성되어 있지만 전기 속의 인물이나 배경, 사건 등은 모두가 실제로 있었던 일들을 기록한 것이다. 수기를 실화 또는 회고록으로 부르는 이유도 여기에 있다.

전기문은 또 진솔성을 특징으로 갖는다. 인물의 성품, 사회에 끼친 영향, 업적 등을 과장되거나 꾸밈이 없이 솔직하게 드러낸다. 특히 수기는 고백체의 문장으로 구성되어 자기가 겪은 일이나 느낌, 내면 심리를 숨김없이 드러내는 경우가 많다.

- 사실성: 주인공의 일생을 통한 실제의 사실을 내용으로 한다.
- 교훈성: 인물의 본받을 점을 부각, 독자로 하여금 본받게 하려는 교훈적 성격이 강하다.
- 문학성: 사실적인 기록이지만, 정서 전달의 문학적 성격도 지닌다.
- 표현: 소설처럼 장면 묘사, 심리 묘사 등의 표현이 사용된다.

(2) 전기의 구성 요소

- 인물: 전기의 주인공, 관련 인물, 재능, 성품 등
- 사건: 인물의 행정과 업적 및 영향력
- 배경: 인물이 활동했던 시대와 사회적 배경
- 비평(감상): 전기에 나타난 작가의 생각이나 느낌

(3) 전기의 구성 방식

- 일대기의 구성: 인물의 출생에서 사망까지의 일생을 그리는 구성 방식
- 집중적 구성: 인물의 중요한 시절만을 다루거나, 중심적 사항만을 다루는 구성 방식

(4) 전기문의 종류

전기문은 크게 전기와 자서전으로 나뉜다.

- 전기: 다른 사람이 한 사람의 생애를 기록한 것이다.
- 자서전: 필자가 자신의 삶과 인생 체험을 기록한 것으로 수기와 회고록 등이 포함된다.

- 비평적 전기: 작가가 사료를 선정하고 해석하여 기록한 평전과 많은 사람의 전기를 차례로 모아서 기록한 열전이 있다.

(5) 전기문 읽기의 방법

전기는 이 세상에 실재했던 사람의 일생을 서술한 글로서, 한 인간의 일생을 다루되 필자가 강조하고자 하는 인물의 활동과 업적이 주로 선택되어 기술된다. 그러므로 전기문을 읽을 때에는 다음과 같은 사항에 유의한다.

- 인물을 평가하는 기준(관점)을 먼저 파악한다.

  전기문 속의 사건들은 필자가 드러내려는 주제와 밀접한 관계가 있는 것들이 선택된다. 따라서 필자가 어떤 의도로 그 사건들을 선택하였는지를 밝힘으로써, 인물을 평가하는 편자의 관점을 파악할 수 있다.
- 인물이 놓여 있는 시대적 배경을 파악한다.

  인물이 처한 상황은 그 인물의 활동과 업적을 이루는 중요한 요인이 된다. 그러므로 인물이 살았던 시대적 배경은 전기를 이해하는 데 중요한 요소라고 할 수 있다.
- 역사적 사실과 필자의 해설, 평가 등을 구별해 읽는다.

  전기문의 생명은 사실성에 있다. 그러므로 과장된 내용이나 꾸민 부분은 없는지 살펴보아야 한다. 시대 배경, 가계, 인물의 행적 등은 사실과 일치하며, 관련된 자료들은 풍부하고 충실한지 살펴본다. 또한 사실과 의견을 구별하여 읽고, 사설에 대한 필자의 의견이 타당한지 생각해 본다.

- 글이 주는 교훈을 생각해 본다.

  전기문은 대부분 삶의 교훈을 담고 있다. 자기의 삶과 비교하여 무엇을 배워야할 것인가를 생각해야 한다. 그리고 인물의 업적보다는 그 업적을 이루기 위한 숨은 과정, 즉 위대한 정신, 노력, 인간성, 삶의 방법 등을 읽어 낼 수 있을 때, 전기문을 읽는 참다운 의의를 발견할 수 있을 것이다

2) 자서전

자서전(autobiography)이란 용어는 전기(biography)에서 비롯되었다. 전기는 제3자가 어떤 한 사람의 일생 동안의 행적을 다룬 글인데, 자서전은 자신이 직접 필자가 되어 자신의 인생을 돌아보고 쓰는 글이라는 점에서 전기와 차이점이 있다. 즉, 자서전은 글쓰기 주체가 자신의 생애를 직접 쓴 글이다. 이러한 자서전의 인접 장르에는 회고록, 전기, 사소설, 일기, 수필 등이 있다.

자서전을 체계적으로 연구한 Lejeune(1975)은 그의 저서 「자서전의 규약」에서 자서전의 정의를 '한 실제 인물이 자기 자신의 존재를 소재로 하여 개인적인 삶, 특히 자신의 인성의 역사를 중점적으로 이야기한, 산문으로 쓰인 과거 회상형의 이야기'로 규정하였다. 이러한 자서전의 정의는 이후 다른 자서전 연구가 필히 참조하는 사전적 권위를 가지게 되었다. 또한 그는 자서전의 정의에 대해네 가지 상이한 범주에 속한 요소들과의 관계를 밝히면서 자서전을 독자적인 범주를 가진 문학 장르로 규정하였다(Lejeune, 1975).

① 언어적 형태
  a) 이야기
  b) 산문으로 되어 있을 것
② 다루어진 주제 : 한 개인의 삶, 인성의 역사
③ 작가의 상황 : 저자(그 이름이 실제 인물을 지칭함)와 화자의 동일성
④ 화자의 상황
  a) 화자와 주인공의 동일성
  b) 이야기가 과거 회상형으로 씌었을 것

Lejeune(1975)은 위에 제시된 각 범주의 조건들을 모두 만족시키는 작품이면 자서전이 될 수 있다고 하면서 자서전과 인접한 여타의 장르들인 회고록, 전기, 사소설, 내면 일기, 시, 자기묘사와 수필은 위의 조건들을 모두 충족시키지 못한다고 하였다.

최경도(2008)는 자서전은 개인의 과거를 들추거나 과거를 연대기적 시간으로 재구성하는 대신, 한 인물의 내면을 통해 긍정적이든 부정적이든 개인에 따라 다양한 양태로 나타나는 진실을 밝히는 데 중점을 두는 것이라 하였다. 또한 자서전이라는 형태로 출간되고 있는 수많은 서적들을 보더라도 그 형식과 내용이 다양하며, 기간 면에서도 개인의 삶을 전부 조명하거나, 삶의 주요 단계나 상황에 중점을 두고 기술되는 경우도 있기에, 자서전에 대한 형식적 정의는 개별 자서전의 틀을 살피는 데 도움은 되지만 자서전이 가지는 다양한 형식에 배타적으로 작용할 수 있다고 지적하였다(김유리, 2013, 재인용).
한편 최현섭(2000)은 자신의 삶을 돌아보고, 경험에서 얻은

생각을 정리하며, 이를 통해 자신과 타인, 아울러 세계를 바라보는 눈을 벼릴 수 있다면 모두가 자서전이라고 말한다. 그런 점에서 자서전은 일기, 반성적인 편지, 짧은 에피소드의 서술 등도 모두 포괄한다. 어떤 경우에는 시나, 소설, 희곡의 형태를 보일 수 있으며, 사진과 그림이 동원될 수도 있으며, 한 마디로 자서전이란 자신을 돌아보고 드러낸 일체의 텍스트를 말한다고 볼 수 있다.

최현섭(2000)은 자서전은 자기 성찰의 글이자 자아와 세계를 객관적으로 조회하는 글로서, 자서전의 고유한 형식은 없으며, 반드시 글일 필요도 없다고 하였다. 그래서 소설 형식, 일기 형식, 편지 형식, 수필 형식 어떤 형식으로 써도 되며, 만화, 포트폴리오, 셀프 카메라와 같은 방식도 훌륭한 자서전이 될 수 있으며, 이때 상대방이 쉽게 이해할 수 있도록 시작하는 부분과 끝맺는 부분을 분명히 해 주어야 한다고 하였다.

또한 김혜정a(2007)는 자신의 내면을 성찰하고 자아상을 바로 확립할 수 있는 자서전과 같은 텍스트들은 읽기나 쓰기 전략을 텍스트 그 자체의 의도를 살려 적용해야 한다고 하였다. 즉, 텍스트로부터 생산된 중심 내용이나 구조, 글의 전개 방식이 교육적으로 어떠해야 하는지를 규정짓지 않는 것, 전형적인 구조나 형식에 대한 틀을 강요하지 않는 것, 자유롭게 쓰도록 '내버려 두는 것' 등과 같은 활동을 예로 들면서, 텍스트 구조나 형식에 대한 강조보다는 담아야 할 내용으로서 자신의 목소리에 대한 관찰과 인지적 집중을 교육 내용으로 강조해야 한다고 하였다.

(1) 자서전의 특징

김순미(2004)는 '자신의 삶 전체를 돌아보며 쓴 사실적인 글, 대부분 일인칭 시점으로 서술됨, 서사에 바탕을 둔 글쓰기, 서술자와 대상 사이의 거리가 가까운 것'을 특징으로 정리하였다. 천정은(2004)은 '고백성, 사실 세계의 대상 지시, 인격의 탐구 및 발전성'을 특징으로 꼽았다. 정혜진(2007)은 '자신의 삶을 전반적으로 두루 살펴보며 쓴 사실을 위주로 한 글, 서술자와 서술 대상이 동일한 글, 대부분 과거 회상의 글쓰기' 라는 점을 특징으로 정리하였다. 김혜정b(2009)는 '자기중심적이면서 동시에 사회적인 글, 고백적인 글, 일대기적인 글, 무형식적인 글'로 특징을 정리하였다. 황유정b(2009)는 '주관성, 작가와 화자와 주인공의 동일성, 사실성, 역사성, 서사성, 과정성'을 정리하였으며 종합하여 정리하면 아래와 같다.

첫째, 자서전은 자신의 일대기를 대상으로 하는 사실적인 글이다. 자서전은 소설과 달리 허구의 인물이 아닌 실제 인물이, 가상의 현실이 아닌 실제 자신이 살아온 현실을 바탕으로 이야기를 전개한다. 즉, 태어나서부터 자서전을 쓰는 시점까지 자신이 살아온 인생 전체를 회상하여 관찰하고, 취사선택한 것을 사실에 근거해 쓴 글이다.

둘째, 서술자와 서술 대상 사이의 거리가 가장 가까운 글이다. 자서전은 저자와 화자와 주인공이 모두 일치하기에 서술자와 대상 사이의 거리가 가장 가까운 것이다. 최현섭(2000)은 자서전이 서술자와 대상 사이에 거리가 가까워 어느 면에서는 주관적이고 왜곡된 진술이 이루어질 수도 있다고 하면서, 자서전을 잘 쓰려면 하나의 대상으로서 자기 자신을 객관화할 수 있는 눈이 필요하다고 하였다. 이것은 자서전을 쓰면서 겉으로 보이는 사건을 기술하고, 누구도 알지 못하는 자신의 내면을 성찰하며, 그것들이 지니는 의미를 객관화할 때 비로소 가치 있는 자서전이 된다는 것을 의미한다.

셋째, 서사를 바탕으로 하는 글이다. 자서전은 글쓴이의 경험이 그대로 글 속에 녹아 들어가는 데 특징이 있다. 이 말은 자서전이 기본적으로 서사에 바탕을 둔 글쓰기라는 것을 암시한다. 자서전은 그 대상 기간이 길든 짧든 시간의 축을 따라 전개되며, 그 안에 글쓴이가 겪은 여러 사건이 담기고, 그 사건들을 글쓴이의 관점에서 해석하여 보여준다는 점에서 전형적인 서사 텍스트이다(최현섭, 2000).

넷째, 인생의 살아온 과정을 돌아보는 회상형의 글이다. 자서전은 오늘을 기준으로 하루를 돌아보고 쓰는 일기와는 달리 태어나서부터 지금까지의 삶을 대상으로 하여 지난날을 회상하고 서술하는 글이다. 인간은 완벽하지 못한 존재이기에 항상 실수하고 잘못을 반복한다. 그러면서 조금씩 자신을 수정하면서 변화해나간다. 자서전은 인생의 종착지에서 쓰는 것이 아니라 그 과정 어디에서든지 쓸 수 있고 그러한 변화 과정을 담아낼 수 있기에, 자서전을 통해 인생의 과정을 돌아보며 점검해 볼 수 있고, 자신에 대해 성찰해 볼 수 있으며, 미래를 그려볼 수 있는 기회를 갖는 특성을 지닌다(황유정b, 2009).

(2) 자서전 쓰기 원리

천정은(2004)은 자서전 쓰기 원리로 '거리 두기의 원리, 관계 파악의 원리, 진실의 원리'를 제시하였다. 정혜진(2007)은 '자기 객관화의 원리, 관계성의 원리, 진정성의 원리, 통일성의 원리'를 제시하였다. 김재은(2007)은 '거리 두기의 원리, 경험반추의 원리, 선택과 배열의 원리, 진정성의 원리'를 제시하였다. 김혜정b(2009)는 '자아 회상의 원리, 선택의 원리, 자기 진실성의 원리, 경험자아와 서술 자아의 거리 두기의 원리, 자아성찰을 통한 의미 발견의 원리'를 제시하였으며 이를 정리하면 다음과 같다.

첫째, 객관적 거리 두기의 원리다. 자서전은 서술자와 서술 대상이 동일하기 때문에 서술자와 서술 대상 사이의 거리가 가까울 수밖에 없다. 그렇기 때문에 일인칭의 시점에서 보다 쉽게 대상을 서술할 수 있다. 하지만 만약 서술자와 서술 대상 사이의 객관적 거리 두기에 실패하게 된다면, 자서전은 지극히 주관적인자기변명과 자기 합리화로 점철될 수밖에 없다. 그러므로 자서전을 쓸 때에는 반드시 자기 자신을 객관화 시켜 거리를 두고 자신을 관찰해야 한다. 정혜진(2007)은 자아를 서술적 자아와 대상적 자아로 구분하고, 이 둘의 거리를 일정하게 유지될 때 가치 있는 자서전 쓰기가 이루어지며, 서술적 자아와 대상적자아의 구분 없이 단순히 자기 표출로 쓰인 자서전은 자기 자신과 이를 읽는 독자에게도 아무런 의미가 없다고 말한다. 또한 그러므로 서술 자아와 대상 자아 사이에 진정으로 자기 자신을 바라볼 수 있는 거리가 필요하며, 자신을 대상화하여 이루어지는 이 거리가 객관적으로 자신을 분석할 수 있게 해준다고 하였다.

둘째, 선택의 원리다. 자서전을 쓸 때는 자아에 대한 거리 두기와 지난날의 회상을 통해 태어나서부터 어린 시절과 학창 시절을 거쳐 현재까지 살아온 기억의 조각들을 취사선택하여 시간의 흐름에 따라 서술한다. 우리는 일상 속에서 하루에도 여러 가지 사건을 겪으며 살아가고 있는데, 자신이 살아온 인생의 모든 사건들을 전부 기억할 수도, 기록할 수도 없으며, 단지 자서전의 저자는 자신이 지금까지 겪었던 사건들 중에서 특별히 긍정적인 혹은 부정적인 또는 강하게 각인되어 있는 경험들만을 서술하게 되는데 이것을 선택의 원리라고 한다(김혜정b, 2009). 즉, 저자는 과거의 시간들 중에서 특별히 강하게 각인된 기억과 경험에 의미를 부여하게 되고, 지금 현재의 시각에서 선택과 배열을 하게 되는 것이다.

셋째, 진실성의 원리다. 자서전은 글을 쓰는 이가 스스로 자신을 직접 드러내는 글이다. 그러므로 자서전은 무엇보다도 진실하게 써야 한다. 자신이 직접 자신에 대해 서술한다는 것은 완벽한 객관성을 보장하지 못하기 때문이다. 자서전이 소설과 다른 가장 큰 이유는 허구가 아니라 사실을 바탕으로 하기 때문이다. 자서전 쓰기가 자신의 과거의 경험에 대해 객관적으로 돌아보면서 반성적으로 성찰하고, 이를 통해 자아 정체성을 형성하는 것이라고 할 때, 이것은 자서전의 진실성이 뒷받침 될 때 비로소 가능한 것이다.(김혜정b, 2009)

넷째, 관계성의 원리다. 자서전을 쓰는 과정에서 글쓰기 주체는 자신과 관계있는 주위의 사람들을 자서전에 등장시킨다. 세상에서 인간이 혼자서는 살 수 없듯이 한 개인의 삶과 행적 자체가 자신을 둘러싼 인물들과 반드시 연결되어 있다. 즉, 사람들은 다른 사람들과의 관계를 통해 자아를 형성해 가는데, 자아의 모습은 혼자서 만드는 것이 아니다. 그것은 부모님을 비롯한 가족, 친척, 이웃, 친구 ,교사 등 평소 관계를 맺고

생활했던 사람들 속에서 만들어진다. 게는 대중매체를 통해 접하는 연예인도 이에 해당된다. 또한 애완동물을 키우는 사람이라면, 애완동물 역시 관계에 있어 의미 부여의 대상이 될 수 있다. 자신에게 영향을 주었던 사람들에 대한 회상뿐만 아니라 자신과 관련된 주위의 사람들과 인터뷰를 하는 것도 관계성의 원리에 속한다.

4. 자서전의 다양한 사례

1) 음악을 활용한 자서전

자기 탐구의 형태로 음악자서전 활동이 사용될 수 있다(Bruscia, 2006). 이는 주제와 관련하여 자신의 노래를 선택하고 들어보는 경험을 통하여 자신의 내면적 정서와 문제점을 점검하고, 노래의 음률이나 가사의 내용이 무의식적으로 억압된 자아를 나타냄으로 내면적 성찰에 이르게 되기 때문이라고 본다.

음악은 정서적 안정과 자신감을 주고 긴장과 두려움을 감소시키며 감정표현을 하는 지지적 도구의 역할을 한다. 또한 개인의 음악은 의식할 수 없는 부분의 상징적 표출이며 각각의 음악적 요소를 상징적으로 표현하는 개성의 표현이다. 이러한 음악적 과정은 개인의 심리적 과정에 대응한다고 볼 수 있다.

음악자서전은 인생을 시대 또는 주제별로 나누어서 사람들이 선호하는 음악을 선정하고, 노래를 통해서 그 시대의 추억과 기억을 회상하는 표현 방법으로 경험과 기억들을 이끌어내기 위해 음악이 심리적 촉매제가 될 수 있다.

Radocy(2001)는 경험과 연관되어 강한 느낌을 불러일으키는 음악의 힘이 인간의 삶에 중요한 사건들을 다시 경험하게 해주는 심리적 과정을 낳게 한다고 보았다. 음악은 누구나 어릴 때부터 친숙하게 접할 수 있는 대상이므로 사람들은 자신이 젊은 시절에 즐겨 불렀던 노래를 다시 부르거나 들으면서 그 시절로 되돌아가는 듯 하는 느낌을 가질 수 있다(Bruscia, 2006). 또한 친숙한 노래의 가사는 그것에 담겨있는 메시지를 통해서 과거를 회상하며 미처 깨닫지 못하는 감정과 느낌을 의식화하고 희미한 감정을 명료화 한다. 어떤 경우에는 자신의 이슈를 표현하기 어려워 할 때 직접 드러내지 않고 표현할 수 있도록 도와주는 도구가 될 수 있다. 음악을 통하여 자신의 감정, 소망, 필요 등을 밝혀낼 수 있고, 가사에 담겨있는 주제를 통하여 사고와 다양한 감정들에 대한 탐색을 증진시킬 수 있다.

(1) 발달단계별 음악자서전 프로그램

발달단계별 음악자서전 프로그램은 생애의 발달적 기간으로 단계를 나누어 구성하여 각 단계별로 기억나는 사건, 사람, 관계, 감정 등을 자유롭게 회상해 보도록 하며, 당시 기억을 떠오르게 하는 음악들은 직접 고르도록 하여 매 회기 활동을 자전적인 이야기로 회상하고 나누는 것과 함께 음악을 듣고, 가사에 대해 토론한 후, 노래 부르기 활동이 함께 이루어지도록 하였다. 진행과정은 1회기 60분씩 1주에 2번, 2주 동안 총 4회기로 구성원 10명에게 진행하고, 매 회기의 내용은 녹음하여 분석하였다.

음악자서전 프로그램은 심리 치료적 접근을 위한 음악치료방법 중 하나인 노래를 중심으로 한 활동으로 자신에 대한 이해와 자기인식, 자기수용능력 향상에 미치는 영향을 알아보기 위한 것이다.

음악자서전 프로그램은 Bruscia(1982)가 언급한 음악자서전 내용 중 '발달적 단계'에 따라 생애를 '유년기 - 청소년기 - 성인기 - 현재의 나, 앞으로 바라는 나'의 총 4단계로 구성하였다.

각 단계별로 기억나는 사람이나 사건, 관계, 감정 등을 노래를 통하여 회상하고 그에 따라 느끼는 기쁨과 슬픔, 그리움, 행복, 고통 그리고 희망 등의 여러 감정들을 자유롭게 나누도록 하였다. 각 단계별 주제는 활동 전 미리 안내하였으며 참여자가 원하는 음악들을 직접 선정하도록 하였다. 매 회기 자전적인 이야기와 함께 음악 듣기, 노래 부르기, 가사 토론 활동이 함께 이루어지도록 하였다.

<표 2> 발달단계별 음악자서전 활동 프로그램

회기	활동주제	활동내용
1회기	유년기 회상과 그 시대를 떠오르게 하는 음악	노래 회상, 음악 듣기, 가사 토론, 노래 부르기
2회기	청소년기 회상과 그 시대를 떠오르게 하는 음악	
3회기	성인기 회상과 그 시대를 떠오르게 하는 음악	
4회기	현재의 나의 모습 앞으로 바라는 나의 모습과 떠오르는 음악	

출처: 이은정(2011). p.74

(2) 노래자서전 음악활동

노래자서전 음악활동의 회기별 순서는 다음과 같다. 도입에서는 인사노래를 부르며 구성원들과 인사를 나누고, 워밍업 활동에서는 노래에 맞추어 손, 팔, 다리 등을 움직이거나 지압공을 이용해 신체 마사지 등의 신체 활동을 한다.

본 활동에서는 노래 듣기, 노래 부르기, 가사 토론, 노래 가사 만들기 등을 통해 과거를 회상하고 수용할 수 있도록 한다. 또한, 과거를 회상하는 활동에 머무르지 않도록 소감 나누기로 현재의 삶과 통합하고 정리하는 과정을 거친 다음, 마침 노래를 부르며 오늘 활동에 대한 느낌을 나누고 마무리를 한다.

<표 3> 노래자서전 음악활동의 회기별 진행순서

순서	활동내용	시간
도입	인사 노래	5분
워밍업	긴장이완 활동	5분
본 활동	노래 감상하기, 노래 부르기, 가사토의, 노래 가사 만들기	35분
정리 및 종결	소감 나누기 및 마침 노래	5분

출처: 윤영미, 박혜영(2018). p.32

<표 4> 노래자서전 음악활동의 전체 회기별 구성

단계	회기	목표	활동	치료적 근거
유년기	1	친밀감형성 및 어린 시절의 나와 고향에 대한 회상	‘고향의 봄’ 노래로 자기 소개 및 고향을 가사에 넣어 송라이팅하며 어린 시절 고향에 대해 회상하며 이야기하기	고향에 대한 추억을 친숙한 노래로 기억나게 하여 정서적 안정감을 가질 수 있으며, 언어로 표현하기 힘든 자신의 생각을 익숙한 노래를 통해 표현할 수 있다. 또한 지나온 과거를 회상하고 수용할 수 있는 기회를 제공한다(권서령, 강경선, 2013).
	2	유년기 시절	‘군밤타령’	구민재(2008)는 노래가 다양

		기억의 행복했던 순간을 회상	노래를 부르며 어릴 때 즐겨먹던 음식에 대해 토의하며 행복했던 유년기 시절을 회상하기	한 주제의 이야기들을 끌어내어 노래와 관련된 생각이나 느낌을 말로 표현하는 가운데 능동적인 사고와 내재되었던 문제를 해결하는데 도움을 준다고 하였다. 일상적인 생활과 군밤을 연결한 가사는 어릴적 즐겨먹던 음식과 거기에 얽힌 사연들을 생각나게 함으로 유년기 시절을 자연스럽게 회상할 수 있도록 도와준다.
	3	가족과 선물에 대한 회상	'오빠 생각', '그대 없이는 못살아' 노래에 송라이팅을 해 보며 좋아하는 사람과 선물에 대 해 회상하기	'그대 없이는 못살아'의 긍정적 가사는 내담자에게 긍정적 감정을 제공하여 활동에 즐겁게 참여할 수 있도록 도와주며, 정적감정을 준 대상을 회상하는데 도움을 준다. 또한 과거에 대한 긍정적인 인식은 노인의 자아통합감에 영향을 미치게 된다(여인숙, 김춘경, 2007).
청·장년기	4	학창시절의 잊지 못할 추억 회상	'나는 열일곱살이예요' 노래를 부르며 가사토의를 통해 학창시절을 회상하기	학창시절을 생각할 수 있게 하는 노래 가사는 10대 때의 설레고 즐거웠던 추억을 떠올리고 삶의 의미를 좀 더 긍정적으로 정리하게 하며, 미처리된 감정들을 수용하고 정리하여 언어로 표현하는 데 도움을 준다.
	5	학창시절의 생활을 사건 중심으로 회상	'밀양 아리랑' 노래를 부르며 학창시절 친구, 잊지 못할	노래자서전은 과거의 사람과 감정 등을 떠오르게 함으로 과거 의 중요한 사건, 사람, 감정 등을 되돌아보고 자신의 삶을

		사람이나 사건을 회상하며 송라이팅을 통해 당시의 사건을 만남으로 해결되지 않은 감정 수용하며 집단원 간 감정지지하기	통찰할 수 있도록 기회를 제공하며 나아가 정체성확립에도 도움을 준다(이문정, 2006). 또한 함께 노래 부르는 경험은 집단의 역동을 형성하게 하고 하나의 응집력 있는 전체로 통합되게 하며, 의사소통의 수단으로 사용될 수 있다(김천사, 2011; 김현정, 정재원, 2013; Clair & Memmott, 2009).
6	기억에 남는 장소 및 관련사건 회상	'서울의 찬가' 노래를 부르며 가장 많이 활동하였던 지역을 떠올리며 행복했던 시절과 좌절의 시간들을 회상하며 지나온 삶 수용하기	이숙(2006)은 지나간 삶의 사건과 경험을 되돌아봄으로 자신의 삶을 긍정적으로 받아들이는 것은 물론 남은 현재와 미래의 삶에 대한 의미와 목적 및 위안을 더해주어 삶의 질을 높여준다고 하였다. 서울에 대한 아름다운 추억을 노래하는 가사를 통해 각 자의 마음의 고향을 회상할 수 있도록 도와줌으로 긍정적 기억은 재경험하게 하고(곽남숙, 2010), 미해결된 사건이나 부정적 기억은 재구성함으로 수용하고 해결할 수 있는 기회를 제공하고, 자신의 삶이 가치 있는 삶이라고 인정 할 수 있도록 도와준다.
7	결혼에 관련된	'갑돌이와 갑순이' 노래를	자신에게 의미 있는 가사를 이용한 '노래 가사 만들기'는

	기억과 회상	부르며 가사 토의 및 송라이팅을 통해 일평생 함께 했던 배우자를 회상하며 수용하기	지난 삶을 성찰하고 되돌아봄으로써 미해결된 인생의 과제를 해결할 수 있도록 유도하고, 마지막 자신의 삶을 가치 있게 마무리할 수 있는 기회를 제공한다(문지영, 2007).
8	자녀에 대한 회상을 통해 감정 표출	'두개의 작은 별' 노래를 부르며 자녀를 출산했을 때의 기쁨을 회상하고 동시에 현재 자녀에게 감사한 마음과 섭섭한 마음 등 여러 감정 표현하기	노래를 통한 치료활동은 안전하게 자기 인식을 하도록 유도하며, 자기의 언어로 자연스럽게 표현할 수 있도록 이끌 뿐 아니라 스스로를 인내하며 수용할 수 있게 도와주며(박수정, 2002), 평소에 표현하지 않았던 감정을 긍정적으로 수용하고 처리할 수 있도록 도와준다.
9	자신의 가장 전성기 시절 회상	'해뜰날' 노래를 부르며 자신의 가장 전성기 시절을 회상하며 인생그래프를 그려본 후, 현재 가장 이루고 싶은 꿈에 대해 이야기 해 보기	'해뜰날' 노래의 경쾌한 리듬은 참여자의 삶에 활기를 불어넣어 주며 성인기 중 성취와 노력에 대한 회상을 하도록 도와주며 자연스럽게 현재 자신의 꿈을 이야기하도록 도와준다.

노년기 및 통합기	10	노화에 대한 긍정적 인식	'내 나이가 어때서' 노래를 부르며 현재 나이에 대하여 긍정적 의미 부여하기	노래는 가사를 통해 수용, 목적, 절망과 의존, 행복과 외로움 등의 다양한 주제들이 토의될 수 있다(Bruscia, 1998). 나이에 대한 긍정적 가사는 참여자로 하여금 노령에 대한 절망보다는 긍정적 의미를 부여함으로 노령을 자연스럽게 수용하도록 도와준다.
	11	현재의 고민이나 고난을 극복하는 방법 모색	'행복은 눈앞에' 노래를 부르며 현재 겪고 있는 고민 등을 나누며 극복하는 방법을 찾아보고 송라이팅하기	자서전 활동은 노년의 삶에 성공적으로 적응하며 생에 마지막단계에서 긍정적인 선택과 수용을 할 수 있도록 돕는다(한정란 등, 2004). 현재의 고민이나 해결하지 못했던 인생의 과제를 음악이라는 구조를 통해 노래 안에서 자연스럽게 투사되도록 유도함으로 내면의 문제들을 확인하고 해결할 수 있도록 도와줌으로(이문정, 2006) 생에 대한 긍정적 태도에 영향을 미친다.
	12	지나간 삶을 수용하며 미래에 대한 긍정적인 수용	'백세 시대' 노래를 부르며 지나간 삶의 의미를 부여하고 앞으로 다가올 미래를 겸허히 받아들이는 마음 다짐하기	노래자서전 프로그램을 통해 감상하고 노래 부르는 활동은 자신의 삶을 회고하고 긍정적인 면을 재인식하도록 격려하여 죽음에 대한 두려움에서 벗어나 남은 삶을 좀 더 의미있게 정리하고 표현하도록 도움을 준다.

출처: 윤영미, 박혜영(2018). p.34-36

2) 영상을 활용한 자서전

영상은 '이미지의 기록'이라고도 한다. 사진, 영화, 텔레비전, AR/VR, Social 미디어를 통해 일상생활에서 수 없이 많은 이미지, 즉 영상을 접하며 살아간다. Saussure, Peirce & Roland Barthes를 비롯한 세계적인 기호학자들이 주장하듯 모든 영상은 기호로서 통합체와 계열체의 결합으로 이루어져 있으며, 사회적인 맥락 안에서 수용자에 따라 다양하게 해석된다(조병철, 최승호, 2019).

Benjamin은 '기억의 장소'에 대해 '고독한 산책자들을 위한 기억의 장소는 어린 시절을 상기시키는 것 이상의 그 어떤 고유한 역사를 상기시킨다.'라고 하였으며 의미를 부여한다. 즉, 영상을 통한 시각적 경험이 감동과 여운을 갖게 해주며 삶의 가치와 의미를 더욱 풍요롭게 해준다. 삶의 가치와 의미는 삶 속의 기억을 향유하는 것이라는 측면에서 편리한 자동화 시스템, 인공지능과 구분된다(조병철, 최승호, 2019).

(1) 영상자서전 교육 프로그램

회상과 향수를 기초로 한 한국 영화는 우정을 다룬 영화 '친구(2001)', 고교생의 성장기를 다룬 '말죽거리 잔혹사(2004)', 여학생들의 우정과 감성을 다룬 영화 '써니(2011)', 첫사랑의 추억을 다룬 '건축학 개론(2012)' 그리고 전설적인 대중 음악팀을 다룬 영화 '쎄시봉(2015)' 등이 상영되면서 세대별 공감대를 얻었다.

종합편성채널 드라마 '응답하라 1997, 1994, 1988'이 높은 시청률을 올렸으며 국외에서도 긍정적인 반응을 보였다. 감동적인 스토리텔링으로 묘사된 영화 속 인물과 배경에는 기억의 장소와 삶의 이야기가 있으며 그 장소의 숨겨진 이야기는 또 다른 감동을 주기도 한다.

시간이 지나갈수록 그 경험과 기억의 감동은 영상 스토리텔링을 통해 더욱 빛을 발한다.

<표 5> 다큐멘터리 영화 사례 분석

Title	Stories We Tell (2013)	Long Farewell (2017)
Country	Canada	South Korea
Director	Sarah Polley	Raya
Genre	Documentary	Documentary
Running Time	108min	72min
Type	interview family	placeness
		interview family

출처: 조병철, 최승호(2019). p.862

<표 6> 씬 별 구성안(Scene continuity)

Scene	Time(year)	Place	Interview and insert
S#1	1950-1970	Seoul	Korea War (Insert)
		Vietnam	Vietnam War (Insert)
S#2	1960-1970	Jochiwon	Love and wedding ceremony
S#3	1960-1970	Jochiwon	New marriage
S#4	1980-1990	ROTC Amy	Father's military motor-car
S#5	1990-2000	My home and an alley	7080 POP (Singer: Kim Kwang-seok)
S#6	2017	a funeral hall	Death and funeral

출처: 조병철, 최승호(2019). p.864

[나의 영상자서전 만들기] 영상으로 만나는 사람책 | 황혼 여행하는 자유로운 영혼의 사나이- 조정길

[그림 1] 나의 영상자서전 만들기 인터뷰

출처: https://youtu.be/zPit7xFcNaY

(2) 영상 자화상 만들기

영상 자화상 만들기는 2012년부터 영상 전공자를 대상으로 한 '영화 치료' 교과목 수업과정의 일환으로 실행한 작업이다(정락길, 2015). '자기 성찰을 통한 자존감 함양'이라는 목표하에 진행된 영상 자화상 만들기는 '저널치료' 혹은 '자서전적 글쓰기'의 방법에서 고안하여 영상을 통해 이루어지는 자기 성찰적 가능성을 탐색하고자 시도한 방법이었다.

저널치료 혹은 자서전적 글쓰기가 공통적으로 제시하는 효과는 삶의 경험 중 의미 있는 사건을 능동적으로 표현한 글을 통해 글쓰기의 주체가 감정을 털어놓고 타인과의 공감대를 형성하며 타인에 대한 이해 능력을 신장시킬 수 있다는 점에 있다.

<표 7> 영상 자화상 만들기 과정

회기	과정 내용
1	단편영화 감상 (<비>, <산책>, <불청객>)
2	영상 자화상 만들기의 기획의도 설명
3	자신에게 관련된 이미지의 자유로운 구상 - 주제의 결정
4	기획서 작성 - 발표
5	영상의 포착
6	영상의 연결(1차 편집)
7	최종 편집: 효과 넣기 - 음악, 문자, 다양한 미적 장식의 과정
8	영상 상영- 발표하기 (발표문 작성)
9	최종 글쓰기: 자신의 제작과정에 대한 거리화된 글쓰기

출처: 정락길(2015). p.561

글쓰기 작업은 자아 성찰, 과거 경험의 정리, 자기 인식, 자기 정체성 확립, 과거의 부정적 경험의 극복과 치료, 타인의 삶에 대한 경청을 통한 이해, 새로운 비전의 획득이라는 여러 장점을 지니고 있다. 영상 자화상 만들기는 자전적 글쓰기의 치료적 효용성을 영상 제작과정을 통해서도 실현 가능할 수 있다는 생각으로부터 시작되었다.

3) 디지털을 활용한 자서전

자서전을 쓴다는 것은 지난 일에 대한 기억의 정리가 아니라 서술적 자아가 직접 과거에 함축된 정신적 가치를 확인하는 작업이다. 따라서 과거 경험 속의 고백과 반성, 재해석을 통한 상실되고 좌절된 과거를 복구하여 자신의 존재를 증명하려는 욕구를 충족시키며, 자신의 삶에 고차원적인 의미를 부여하는 과정이 필요하다. 디지털을 활용한 자서전 글쓰기는 기존의 글쓰기와 비교할 때 시대에 따른 환경적 변화로 자료적인 측면에서 정보들을 분류하고, 접근성과 편집의 용이성이 향상되었다.

즉, 글쓰기의 관례는 선형적인 글쓰기에서 자료들을 재조합하는 구조화 글쓰기로 바뀐 것이다. 그렇지만 생애 전체를 재구성하여 하나의 줄거리로 쓰는 글쓰기 전략은 디지털 자서전 글쓰기에도 적용하여 글의 구조를 단계적으로 만들 수 있도록 해야 한다. 이런 기본 요소를 충족시키는 디지털 자서전은 개인과 사회 사이의 간격을 의식하는 평범한 개인이 스스로 정체성을 구성하고 다양하게 표현할 수 있도록 해주는 도구가 될 수 있다.

최근 학교뿐만 아니라 평생교육에도 비대면 평생교육 프로그램이 운영되면서 공유 및 커뮤니케이션 도구에 대한 관심이 늘어나고 있다. 공유 및 커뮤니케이션 도구는 학습자나 그룹별 소집단의 아이디어 또는 토론을 통해 의견을 서로 공유하여 학습자와 학습자, 학습자와 교수자 간의 상호작용을 돕는 도구를 의미한다. 이러한 도구는 학습자와 팀학습자, 교수자와 학습자 간의 상호작용을 원활하게 하고, 다양한 수업이나 프로그램 운영의 효율성과 효과성, 만족도를 높이기 위해 활발히 적용하고 있다.

(1) Online Collaborative Tool을 활용한 자서전쓰기

가상보드인 Padlet은 학습자들이 사진, 문서, 비디오, 프리젠테이션 및 음성 녹음을 포함한 다양한 파일을 올릴 수 있는 협력적인 도구로서, 사람들이 자유롭게 접속하여 의견을 주고 받거나 추가할 수 있다. 다양한 환경에서 Padlet은 참여자들이 브레인스토밍, 멀티미디어 프로젝트, 과제게시, 그룹작업, 교수자 및 참여자의 피드백과 같은 다양한 활동으로 학습에 적극적으로 참여할 수 있는 플랫폼을 제공한다. Padlet이 온라인 접속자들과의 실시간 게시로 의사소통을 하는 전통적인 기능과 멀티미디어적인 기능을 포함하고 있다. 교수자의 아이디어 개발 및 활용 욕구를 자극하고 게시판에 아날로그적 정서를 담기 위해 실제 벽지 모양이나 사용자 요구에 따른 다양한 배경 이미지에 스티커 모양의 메모를 붙이는 형태로 구성되어 있어 오프라인 수업에서 참여자들이 강의실 벽면에 아이디어 메모를 붙이며 모둠 학습을 진행하는 것과 같은 분위기를 느낄 수 있다. 또한 게시판, 블로그, 포트폴리오, 메모 보드 등 Padlet은 다양한 목적으로 사용 가능하며, 텍스트, 이미지, 동영상, 음성, 링크 게시 등 각종 콘텐츠 유형을 편리하게 모아 놓을 수 있는 소프트웨어이다. Padlet은 실시간으로 의견을 수합할 수 있는 시스템이며 알림판, 브레인스토밍, 토론, 노트, 목록 만들기, 피드백 남기기, 파일첨부 등 다양한 활동을 실시할 수 있다. Padlet을 통한 활동 상황은 실시간으로 저장되기 때문에 학습자들과의 상호작용 과정도 실시간으로 공유할 수 있어 편리하다.

Online Collaborative Tool을 활용한 자서전쓰기 프로그램은 1회기에 3시간으로 진행되는 수업을 비대면 온라인 수업으로 재구성하고 수업 단계별로 적절한 온라인 학습 도구를 활용하여 수업을 구성하였다. 수업절차는 준비단계 → 도입단계 → 전개단계 → 정리단계로 구성하였으며 온라인 수업의 특성을 고려하여 다양한 Online Collaborative Tool을 활용하여 진행하였다.

<표 8> Online Tool을 활용한 자서전쓰기 프로그램의 수업절차

과정	목표	플랫폼	수업활동	비고
준비 단계	수업 준비	Zoom	•Zoom 링크제공 및 초대 •수업자료 확인 및 실행 •Zoom 접속	오디오, 비디오 확인
	출석 확인	Zoom	•대기 중 화면 제공 및 대기자 수락 •Zoom 채팅방 공지사항 게시 •출석 확인 및 인사	수업안내 공유
도입 단계	수업 진행 안내	Zoom PPT	•수업진행 방법 안내 •수업의 내용 제시	PPT 화면 공유
			•Warm-up을 통한 동기부여 •주의집중 유도를 위한 질문하기	Zoom 채팅
전개 단계	설명	Zoom PPT	•주차별 수업 내용 설명 •화면 공유 기능을 활용하여 자료 제시	
	질의 응답	Zoom	•수업 과정 중 질문 사항 -> 피드백 •교수자 질문에 대하여 학습자들이 답하도록 진행	Zoom 채팅
	학습자 참여 유도	Zoom Padlet	•관련 주제에 대한 Padlet을 활용한 온라인 게시 •Padlet 활용 및 실시간 반응 •화면 공유를 통하여 Padlet의 내용 공유	링크 제공 화면 공유
정리 단계	마무리	Zoom Padlet	•선택활동을 통해 Padlet 공감 댓글 및 소감나누기	화면 공유
	수업 종료	Zoom	•다음 수업 안내 및 학습 종료	

출처: 하정혜, 유정록, 배홍연(2021). p.499

Online Collaborative Tool을 활용한 자서전 쓰기는 실시간 화상수업을 통해 15회기로 1회기에 3시간씩, 총 45시간으로 진행되었다. 1회기부터 3회기까지는 프로그램 소개, 가상보드인 Padlet의 활용, 글쓰기의 이해와 방법으로 이루어졌고, 4회기부터 14회기까지는 자서전 쓰기의 내용을 위한 틀 구성 및 주제별 글쓰기로 진행하였다. 15회기는 Padlet의 담벼락 내보내기를 통해 자서전 묶기 및 프로그램 평가를 진행하였다. 주제별 실제적인 글쓰기 구성은 한정란(2004)의 노인자서전 쓰기의 내용을 재구성하여 삶 전반의 일대기와 시간의 흐름, 인생에서 겪는 일화 및 주요사건을 중심으로 주제의 내용을 구분하였다.

<표 9> 자서전쓰기 프로그램의 회기별 주제와 세부내용

회기	주제	세부내용
1	프로그램에 들어가며	▪ 프로그램 및 집단원 소개 ▪ Padlet(가상보드) 활용하기 안내
2	글쓰기의 이해	▪ 서론, 본론, 결론 쓰기 ▪ 어법 및 표현, 단락쓰기 ▪ 글쓰기의 과정
3	자서전의 이해	▪ 자서전은 왜 쓸까? ▪ 나에게 자서전이란?
4	나의 인생 돌아보기	▪ 나의 인생 곡선 그리기 ▪ 나의 연대기표 작성하기
5	나의 가족들은?	▪ 나의 근원가족(Family of origin) ▪ 나의 생식가족(Family of procreation)
6	나는 어떤 사람이었나?	▪ 잠깐! 쓰기 전에 생각해 보기 ▪ 나의 일과 역할 회상하기

7	사랑 그리고 미움	▪ 사랑이란? ▪ 사랑과 미움 회상하기
8	건강은 누구에게나 중요하다.	▪ 건강의 의미를 표현하는 말 찾아보기 ▪ 건강에 대해 회상하기
9	나는 고난을 어떻게 극복했나?	▪ 나의 고난과 역경 회상하기 ▪ 집필과정 점검 3단계
10	뭉치면 살고 갈라지면 죽는다.	▪ 친구에 대한 속담 찾아보기 ▪ 인간관계에 대해 회상하기
11	탐구의 기쁨	▪ 나의 관심분야 회상하기 ▪ 예술가의 자서전 소개하기
12	인생의 터닝 포인트	▪ 내 인생의 터닝 포인트 회상하기 ▪ 기적 질문하기
13	가치관과 신념	▪ 나의 가치관 탐색하기 '타이타닉 호 선장되기' ▪ 나의 신념과 가치관 생각하기
14	이별 그리고 죽음	▪ 이별과 죽음에 대해 생각하기 ▪ 삶의 깨달음 남겨주기
15	우리들의 자서전 묶기	▪ 자서전의 순서와 목차정하기 ▪ 우리들의 자서전 묶기 ▪ 프로그램 평가 및 소감

출처: 하정혜, 유정록, 배홍연(2021). p.501

(2) 생애기억 아카이브를 이용한 노인 자서전쓰기 콘텐츠 기획

생애기억 아카이브를 이용한 자서전 쓰기 콘텐츠는 자신의 생애이야기에 플롯구조를 적용하여 이야기 구성을 지원할 수 있도록 설계하였다. 개인이 자신의 이야기를 최대한 창의적으로 만들어내면서도 이야기 구성의 막막함과 어려움을 극복하기 위한 도구로 유형화된 플롯을 제시하였다. 또한 이러한 자서전 쓰기를 지원하기 위해 디지털 형태의 생애기억 아카이브 활용을 제안하였다. 아카이브를 이용하여 기억의 수집과 관리에 대한 완성도를 높이고, 스토리보드에 사건을 배치하는 작업을 지원하였다. 이를 위해 기존의 아카이브와 차별화된 관리체계와 기술항목을 제시하였다.

전체적인 자서전 쓰기의 코스는 총 6개 단계로 접근할 수 있다. 각각의 단계는 1~4회의 진행과정을 거쳐 수료할 수 있으며, 마지막 단계 결과물로 개개인의 자서전을 완성하도록 설계하였다. 자서전 쓰기 코스는 1회기에 2~3시간씩 총 10회기로 구성되는 것을 원칙으로 하나 참가자의 순응도나 집단의 균질도에 따라 시간이나 회기의 조정이 가능하며, 과제를 통해 프로그램 진행 시간 이외에도 참가자들의 추가적인 노력을 전제로 진행하게 된다.

<표 10> 회기별 자서전 쓰기 주제와 내용

회기	주제	내용
0	오리엔테이션	- 프로그램 설명, 자기소개 등
1	자기연표 만들기	- 자기연표 만들기 - 자기연표 작성 도구 사용하여 작성
2	플롯 질문지 답변	- 플롯을 위한 질문지 답변하기
3	생애회고 및 기억수집 1	- 자기연표를 토대로 아동기~성인준비기 기억회상 - 메타데이터 작성 후 아카이브 저장 - 질문지 사용
4	생애회고 및	- 자기연표를 토대로 성인초기~성인후기

	기억수집 2	기억회상 - 메타데이터 작성 후 아카이브 저장 - 질문지 사용
5	생애회고 및 기억수집 3	- 주제별 기억 회상(사랑, 결혼, 친구, 자식, 꿈 등) - 질문지 사용
6	생애회고 및 기억수집 4	- 주제별 기억 회상(고난, 인생의 분기점, 노화 등) - 질문지 사용
7	기억의 공유 및 공감	- 아카이브에서 제시된 결과를 토대로 2~3인의 회상집단 구성 - 자신의 기억에 대해 발표하고 공감 - 추가기억 및 수정기억 저장
8	플롯제시와 기억 배치	- 개인별 플롯 제시 - 사건기억과 배경기억을 플롯에 배치
9	자서전 서술 1	- 자서전 서술
10	자서전 서술 2	- 발표, 퇴고

출처: 류한조(2019). p.131

4) 집단미술치료를 활용한 자서전

집단미술치료는 집단상담에서 미술 매체를 적용한 것으로 그림이나 미술 매체를 도입하여 내면의 감정을 표현하는 과정을 통해 심상을 자연스럽게 드러내는 것을 돕는다. 또한, 감정을 표출함으로써 카타르시스를 느낄 수 있다. 집단치료가 가지는 관계성으로부터 나오는 치료적 힘과 미술작품 활동을 통한 이미지의 창조 작업이 가지는 힘을 통해서 개개인을 도울 수 있다. 집단

치료는 비슷한 욕구를 가지고 주제를 중심으로 모인 집단 구성원들과 정서적 지지와 공감적인 상호작용이 가능하다.

또한, 서로 당면한 문제 해결을 도우며, 다른 집단 구성원의 공감과 지지로 자기 이해를 촉진하고 사회성을 증진하는데 효과적이다. 즉, 미술치료의 효과성을 집단상담에 적용한 것으로 집단미술치료는 미술치료에서의 창조적 에너지와 집단치료의 집단 응집력이 결합한 형태이다.

회상을 통한 자서전만들기 집단미술치료 프로그램을 통하여 자기표현, 성찰, 자아 통합 등에 수월하게 접근할 수 있다고 본다. 여기에 과거를 회상하고 미술 작품과 이야기를 담아 기록하며 집단 내에서의 자기표현과 집단 구성원들의 지지를 통해 살아온 자기 삶에 대한 태도에 대하여 통찰할 수 있도록 하며, 자신감, 만족감, 자기주도성, 주체성, 향후 인생 설계역량까지 키워나갈 수 있으리라 본다.

또한, 개인의 삶을 바라볼 때 감성적, 구체적, 정서적으로 바라보는 눈을 갖게 할 것이고 더 나아가 성찰을 통한 자아정체성 형성에 기여하고 삶을 능동적으로 구성할 수 있게 만들며 노인의 자아 통합을 향상하는 데에 기여함은 관련 선행 연구를 통해서도 확인할 수 있다.

(1) 자서전 만들기 집단미술치료 프로그램

<표 11> 프로그램 단계별 목표

단계	회기	목표
초기	1~3회기	• 친밀감 형성 및 흥미유발 • 긍정적 자기탐색 및 정서표현
중기 I	4~6회기	• 과거에 대한 긍정적 수용 • 개인적 성장 및 행복감 증진

중기 II	7~9회기	• 삶에 대한 긍정적인 태도 • 과거 현재 재인식 수용 • 자아성찰 및 행복감 증진
종결	10~12회기	• 행복감 및 삶의 질 향상 • 성취감 및 만족감 증진 • 긍정적 자기수용 및 자아통합

출처: 송은영, 전순영(2022). p.1233

<표 12> 프로그램 회기별 진행과정

진행순서	소요시간 (총 60분)	활동내용
도입	10분	• 인사하고 안부 나누기 • 자서전 생애주기별 주제에 대한 설명 • 워밍업: 주제 관련 음악 감상하며 같이 부르기
자서전 만들기	30분	• 미술재료 및 활동 소개하고 집단미술활동 진행
자서전 내용 말하기	20분	• 작품소개 및 주제에 대한 행복한 기억 말하기 • 다음 회기 주제 안내하기

출처: 송은영, 전순영(2022). p.1234

<표 13> 프로그램 회기별 진행과정

단계	회	주제	목표	활동	준비물
초기 ︵ 친밀감 형성 ·	1	나의 특별한 이름	• 친밀감형성 및 흥미유발 • 긍정적 자기탐색	• 프로그램 소개 및 구조화 • 이름 관련 노래 감상 ♪당신은 누구십니까 • 이름꾸미기 작업 후 이름에 대한 유래, 자신의 이름	도화지 색골판지 스티커 풀 채색도구

				을 불러준 사람들, 추억을 생각하며 이야기 나누기	
흥미 유발)	2	나의 고향의 봄	• 과거탐색 • 긍정적 정서 표현	• 고향 관련 노래 감상 ♪고향의 봄 • 고향에 대한 기억을 회상하고 추억 나누기 • 내가 살던 고향의 봄을 스칸디아모스로 봄나무를 꾸며 액자로 만들기	스칸디아모스 액자 목공풀 스티커 채색도구
	3	그리운 내 어머니	• 그리움 • 긍정적 정서표현	• 어머니 관련 노래 감상 ♪섬집아기 • 그리운 어머니를 위한 한복을 꾸미고 어머니 얼굴 그리기 • 어머니에 대한 행복한 추억과 감사한 마음을 표현해보기	한복도안 얼굴도안 한지 풀 채색도구
중기 I (과거에 대한 긍정적 수용)	4	내 꽃과 같은 청춘	• 과거에 대한 긍정적 수용 • 행복감 증진	• 청춘 관련 노래 감상 ♪나는 열입곱살이예요 • 꽃다운 청소년기 대해 생각해보고 활짝 핀 나를 꽃으로 만들기 • 꽃을 모아 한 꽃병에 꽂고 나의 꿈, 청춘과 관련된 행복한 경험 이야기 나누기	색한지 꽃철사 색종이 꽃병
	5	나의 혼례 이야기	• 과거 수용 • 개인적 성장 • 행복감 증진	• 혼례 관련 노래 감상 ♪님과 함께 • 혼례의 상징 쌍기러기 색칠하기	기러기도안 색종이 스티커

				• 자신의 혼례식 날을 떠올리며 남편과의 추억 회고하기	채색도구
	6	나 이 사 랑스러운 아이	• 과거수용 • 개인적 성장 • 행복감 증진	• 자녀 관련 노래 감상 ♪잘 자라 우리아가 • 첫 아이에 대한 기억, 출산 당시 상황에 대해 이야기 나누기 • 배냇저고리 천을 만지며 자녀 양육의 경험을 회상하며 행복과 애환을 이야기 나누기	배냇저고리 천 바늘 실 스티커 색종이
중기Ⅱ (삶에 대한 긍정적 태도)	7	나 의 고마운 손	• 긍정적 자기인식 • 자존감 향상 • 긍정적 경험회상 • 행복감 증진	• 전성기에 시절 회상 노래 감상 ♪해뜰 날 • 많은 일을 해내온 내 손을 격려하고 감사의 인사하기 • 손의 고마움을 생각하며 석고붕대로 손본뜨기 • 감사한 손에 대해 이야기 나누기	석고붕대 핸드크림 신문지 물
	8	나의 황금손	• 감사의 마음 • 성취감 경험 • 행복감 증진	• 행복했던 기억에 관한 노래 감상 ♪나는 행복합니다 • 석고 손 위에 금색으로 칠하여 액자만들기 • 젊은 시절 내가 했던 일, 좋아했던 일, 성취한 일 생각하기 • 내 손에 이름 지어주기	석고손 금색아크릴 금색골지 폼보드 글루건 붓
	9	내가 살아온 시간	• 삶에 대한 긍정적 태도	• 삶에 대한 긍정적 의미를 주는 노래 감상 ♪내 나이가 어때서	색 자갈 개운죽 유리병

			• 자아성찰 • 행복감 증진	• 자신의 삶에 대한 화해와 감사의 마음을 생각하고 이야기 나누기 • 다양한 색상을 가졌던 지난 시간을 떠올리며 초·중·말년의 인생을 색을 정해서 색자갈을 쌓고 개운죽(開運竹) 심기 • 색상별로 인생을 설명하고, 세상에 남기고 싶은 나의 긍정적인 점을 유산으로 적기	꾸밈재료 물
후기 (행복감 및 삶의 질 향상)	10	내 소망의 등불	• 긍정적 자기수용 • 삶의 목적 강화 • 행복감 증진	• 여생에 대한 긍정적 인식 노래 감상 ♪행복은 눈앞에 • 눈앞의 행복의 요소 느끼기 • 전등갓을 꾸미고 지난 인생 행복했던 기억을 말하고 소망의 메시지를 붙여 완성하기 • 완성된 전등갓을 한곳에 모두 모아 앞으로 소망을 이야기하고 남은 길을 밝게 비춰 줄 등불을 밝히며 이야기 나누기	전등갓 색한지 캘리그라피 풀
	11	나의 자서전 만들기	• 삶의 정리 • 행복감 증진 • 삶의 질 향상	• 현재의 삶과 행복과 감사에 관한 노래 감상 ♪행복해요 • 전체 회기 주제 회고 후 작품 사진과 원고를 검토하고 책 출간에 앞서 자서전 구성 • 행복을 그리는 화가 Eva Armisen의'행복'작품을 보	작품사진 원고 표지도안 행복 작품 꽃 스티커 채색도구

			고 행복한 인생을 머리에 활짝 핀 꽃으로 표현하여 자화상 표지 꾸미기 • 인생을 정리하고 통합하는 이야기 나누기	
12	나 이 자서전 출간식	• 긍정적 자기수용 • 성취감 및 만족감 증진 • 자아통합 • 행복감 증진 • 삶의 질 향상	• 지나간 삶의 의미를 부여하고 앞으로의 미래 받아들이는 노래 감상 ♪백세 시대 • 나에게 주는 상장 만들기 • 그동안의 작품과 원고를 엮은 자서전 제본책을 나누어 주고 나의 자서전 출간식 • 꽃 포장하여 잘 살아온 서로에게 꽃 선물하기 • 케이크에 초를 켜고 기념식 • 자서전 출간식 및 소감 발표하기	자서전 상장 꽃 포장지 케이크 다과

출처: 송은영, 전순영(2022). p.1235-1236

(2) 자서전 만들기 집단미술치료 프로그램

자서전 만들기 집단미술치료 프로그램이 노인의 자아 통합향상에 효과적으로 작용할 수 있도록 자아 통합의 하위 구성요소를 중심으로 단계를 설정하였다.

초기 단계(1-2회기) 친밀감 형성단계, 중기 단계(3-6회기), 생애 돌아보기 단계, 후기 단계(7-10회기), 생애 통합해보기 단계로 구성하였다.

초기 단계는 친밀감 형성단계이며 향후 진행될 프로그램 오리엔테이션으로 프로그램에 대한 소개 및 집단 구성원들 간의 만남과 관계의 중요성을 인식시키고 참여의식을 고취한다.

중기 단계는 '생애 돌아보기'를 단계목표로 어린 시절부터 시계열적으로 지난날을 돌아보며 과거 현재 삶에 대하여 만족함을 통하여 '만족스럽게 수용되는 생애'와 '욕심 없는 삶'을 활동 목표로 하였다.

후기 단계는 '생애 통합해보기'를 단계 목표로 하여 '원숙한 대인관계'를 활동 목표로 하였다. 집단 원들과 힘들었던 기억과 남기고 싶은 것들을 공유하고, 그럼에도 불구하고 지금까지 잘 견뎌온 자랑스러운 자신에 대하여 탐색하고 만족스러웠던 성취감을 고취하는 것에 초점을 두었다.

<표 14> 자서전 만들기 집단미술치료 프로그램 구성 내용

단계	회기	목표	주제	활동내용 및 기법	준비물
초기	1	친밀감 형성	내 이름 꾸미기	• 오리엔테이션/자기소개 • 스티커로 꾸미기 • 이름에 대한 추억나누기 • 별칭짓기 • 과제화법	색모래 별칭 사진 사인펜 도화지 테이프 풀, 가위
	2		내 맘에 드는 것	• 잡지에서 좋아하는 사진 선택 • 잡지콜라주로 작품 구성 • 제목 정하고 소감나누기 • 잡지콜라주법	잡지 사인펜 4절도화지 풀, 가위
중기	3	생애 돌아보기	어린 시절 아동	• 어렸을 때 나의 부모/고향 • 국민학교(소학교)담임, 친구들, 학업	천사점토 사인펜 크레파스

		(만족스럽게 수용되는 생애, 욕심 없는 삶)	청소년기	• 중·고등학교 친구, 교사와 좋았던 관계 회상하기 • 부모님, 형제자매와의 관계 • 첫사랑 이야기 • 콜라주 박스법/ 소조 활동법	콜라주박스 풀, 가위 4절도화지
	4		결혼과 가족의 의미 성인초기	• 20대의 나의 모습 • 20~30대의 가장 중요한 사건 • 20~30대의 나의 일, 직장 • 당시 유행하던 노래와 의상 • 결혼과 출산 및 양육 • 콜라주 박스법,	색한지 사인펜 크레파스 콜라주박스 꾸미기재료 풀, 가위 4절도화지
	5		갈등하는 나 도전하는 나 중년기	• 나의 대인관계 회상하기 • 나의 관심사와 건강 • 어린 시절 나의 꿈 • 부모로서 나의 모 • 콜라주 박스법	사인펜 크레파스 콜라주박스 꾸미기재료 풀, 가위 4절도화지
	6		산다는 것에 대하여 노년기	• 늙어간다는 것 • 죽음에 관한 경험 • 용서하고 싶은 사람 • 돌아가고 싶은 시절 • 가장 후회되는 사건 • 콜라주 박스법	색한지 사인펜 크레파스 잡지 콜라주박스 꾸미기재료 풀, 가위 4절도화지
후기	7	생애 통합해보기	자랑스러운 나!	• 가장 자랑스러운 순간 • 나에게 중요한 것 • 나에게 해주고 싶은 말 • 인형 만들기(공예활동)	털실, 스틱 글루건 사인펜 꾸미기재료

8	(원숙한 대인관계)	내가 원하는 삶	• 나의 삶의 원동력 • 내가 원하는 것, 이루고 싶은 것 • 1년 후 나에게 보내는 엽서 • 원형콜라주/화답콜라주	원형도화지 엽서도화지 잡지 풀, 가위
9		물려 주고 싶은 마음의 유산	• 자녀교육에 관한 나의 생각 • 전수해 주고 싶은 삶의 지혜 • 자녀에게 남기고 싶은 말 • 소망나무 꾸미기 • 콜라주/엽서 콜라주	8절도화지 4절도화지 엽서도화지 사인펜 색연필 잡지 풀, 가위
10		대통합 자서전 출간 식	• 자서전의 머리말 작성 • 의미 있는 사람에게 감사 전하기 • 출판된 자서전 출간 식 • 소감 나누기 • 엽서 콜라주/사포협동화 • 책 만들기법	엽서도화지 사포지 크레파스 자서전, 다과

출처: 오다영(2021). p. 55-56

5) 시를 활용한 자서전

시로 쓰는 자서전은 자신의 삶을 회고하고 자서전적인 시 쓰기를 통해 새로운 삶의 문화를 제공한다. 특히 어르신들의 경우 살아오면서 체득한 지식과 경험을 후손과 사회가 공유하는 세대 간 공감의 계기가 될 수 있다. 체험적 삶과 시 쓰기를 통한 힐링, 생의 순간 인상 깊은 시점 쓰기, 자기 모습을 완전히 드러

내 시 쓰기 등으로 한다. 좋은 시를 쓰기 위해서는 많이 읽고, 쓰고, 생각하는 것이 필요하다.

사례로 2022년 8월 담양문화원에서 진행된 '시로 쓰는 자서전'은 60세 이상 지역민을 대상으로 시행되는 프로그램으로 시인 강사로부터 시를 쓰는 기술, 시 주제 선정, 새로운 추세의 시의 형태 등의 시와 관련한 수업을 받고 참여자들에게 살아오면서 체득한 지식과 감정, 글로서 표현하고 싶었던 이야기들을 이끌어내도록 유도하고, 이 내용을 시의 형태로 쓰일 수 있도록 도와준다(담양문화원, 2022).

수업 속에서 전형적인 시의 형식도 배우지만, 자신의 이야기나 경험이 녹아든 전통 시, 묘비에 새겨진 누군가의 생애가 담긴 이야기, 현대의 대중가요 속에서 가수들이 직접 자신의 이야기를 가사로 써낸 예술적인 글의 형태 등의 다양한 사례를 분석하는 동시에 수업을 들은 참여자들은 '시를 쓰는 방법뿐만이 아닌, 바쁜 시간 중에서 시간을 내어 나 자신을 되돌아보는 시간을 가질 수 있었다.' 혹은 '일상생활에서 말하기 힘들거나 하고 싶었던 말을 정리하여 글로 써낸다는 것이 나에게는 묵은 때를 벗겨 내는 힐링의 시간이 되었다.' 등의 좋은 반응을 보여주었다.

6) 그림을 활용한 자서전

그림으로 쓰는 자서전은 잠자고 있는 기억을 깨우는 작업이다. 과거의 사진에서 추억을 떠올릴 수도 있는데 예를 들면, 머리에 수건을 쓴 여인, 장작, 불, 아궁이, 무쇠솥 등 부분적인 모습에서 구체적으로 연결할 수도 있다. 글을 쓸 수 있는 이야기가 제공되는데 이것을 글감이라고 한다.

자서전 쓰기 프로그램은 보통 자신이 누구인가를 쓰는 것에서부터 시작한다. 나의 외모는 어떠한지, 특징은 무엇이 있는지, 나의 취미생활과 좋아하는 일이 무엇인지를 적는다. 다른 수강자들과 이야기를 나누면서 내가 몰랐던 나의 모습을 발견할 수도 있다. 이런 방식으로 '나는 이런 사람이다'라는 자서전 전체의 기본 방향을 설정하게 된다. 또한 자신의 생애를 연표로 만든다. 직계가족(부모, 자식)의 인생 중 내 생애에 중요했던 부분이나 영향을 준 사회적 사건을 연표에 추가하는 식이다.

사람의 일생은 크게 5단계 주기(유년기, 소년기, 청년기, 장년기, 노년기)로 나눠볼 수 있는데 각 생애 주기별로 기억에 남는 3~4가지 일들을 적는다. 각 사건에 대해 어떤 일들이 있었는지, 각 사건에서 나는 무엇을 느꼈는지를 적는 것이다. 이후에는 내게 영향을 준 주변 사람들에 관한 이야기를 적는다. 보통은 배우자, 형제자매, 자녀, 부모에 대한 글을 쓴다. 생애 주기별과 마찬가지로 각 인물에 대해 기억나는 점 3~4가지와 각각 사건에 대한 자신의 생각을 기록한다. 참여자들은 어린 시절 친구, 고향집 등 옛 추억을 종이에 그림과 글로 표현하고, 자화상과 반려자 등을 그리고, 수채화, 꼴라주, 인형 만들기를 하는 등 미적 감각을 높이는 다양한 활동을 진행한 후 그림책 자서전 제작에 들어간다.

그림조각을 활용하여 나단의 이야기를 만들어가는 그림으로 쓰는 자서전은 1회기는 아련한 기억 속으로 나의 10대 이야기, 2회기는 찬란한 내 청춘(나의 20대), 3회기는 나의 꽃 중년(30~40대), 4회기는 행복한 이 순간(나의 현재), 마지막 5회기는 아름답게 천천히(나의 미래)로 진행한다. '자기 소개하기'에

적합한 카드 고르기를 통해 첫 만남의 어색함을 줄이고 이어서 '나 이렇게 태어났어!', 태몽이나 내가 태어났을 당시 가정 상황, 부모님으로부터 전해들은 나의 탄생에 관한 이야기 나누기를 한다. 마지막으로 부모님, 학창시절, 친구에 대한 기억 등에 관한 일화를 나눈다.

[그림 2] 백세시대

[그림 3] 그림으로 쓰는 나의 특별한 자서전

출처: 백세시대(2021). http://www.100ssd.co.kr

그림으로 쓰는 나의 특별한 자서전(2022). https://blog.naver.com /dosim_senior

7) 만화를 활용한 자서전

만화의 폭은 넓다. 그림과 문자의 조합은 어지간해서는 만화의 범주를 벗어나기가 힘들다. 어린 시절 그리고 그림일기에서부터 각종 디지털 기기가 유행하는 현재의 이모티콘에 이르기까지 만화의 활용 범위는 무궁무진하다. 몇 개의 선과 색, 몇 마디 말로 추억, 경험, 감정, 상황을 손쉽게 전할 수 있는 만화는 어찌 보면 자기표현의 가장 수월한 수단이다.

유럽, 특히 프랑스에서 만화는 '제9의 예술'로 인정받는다. 유럽에서는 만화의 기원을 구석기시대까지 끌어 올리며 역사적 문화적 가치를 인정한다. 우리가 흔히 회화의 기원으로 아는 선사시대의 동굴벽화를 동시에 만화의 표현방식으로 받아들이는 것이다.

그에 비해 우리나라에서 만화는 천덕꾸러기 신세를 면치 못했다. 비주류문화, 가볍고 진지하지 않은 장르라는 인식이 강했다. 한때는 청소년에게 악영향을 끼친다하여 대대적인 단속과 검열에 시달리기도 했다. 지금도 여전히 만화의 위상은 영화나 문학에 비해 현저히 낮지만, 최근에는 웹툰의 비약적인 발전과 상업적 활용 덕에 만화의 입지가 탄탄해지고 있다. 대중적 인지도와 활용성이 높아지면서 하나의 문화 콘텐츠로 자리 잡은 모양새다. 어린이와 청소년은 익숙하고 좋아해서 만화를 즐기는데 두려움이 없다.

그런데 어르신은 어떨까? 어르신 역시 어릴 때는 만화를 보고 자랐고 만화는 누구에게나 부담 없이 다가갈 수 있는 장르라는 자신감이 있다. 지금도 손자, 손녀를 돌보면서 학습만화를 보고 구연을 한다는 것이다(공영직, 안태호, 2017).

노년의 삶 자체가 하나의 훌륭한 스토리텔링이다. 어르신이 직접 자신의 삶을 쓰고 그리게 하자는 것이다. 어르신이 이야기 하는 것을 작가가 그려주는 방식이 아니라, '누구나 만화가고 스토리텔러다.'라는 기본 가정 아래 어르신 스스로 쓰고 만화가가 되자는 것이 목표이다.

[그림 4] 시니어 만화 창작 학교

출처: 공영직, 안태호(2017).

8) 사진을 활용한 자서전

사진을 활용한 자서전 쓰기는 고유하고 독특한 자신을 인식하고 삶의 의미를 발견하며 자아를 통합할 수 있고, 자신의 삶을 사진으로 엮으며, 앞으로의 삶을 열어 가는데 큰 의미를 갖는다. 그래서 기억 속에 감추어져 있었던 소중한 것을 발견하고, 인생의 의미를 재고해보며 앞으로 다가올 삶을 새롭게 설계하기 위함이다.

우리나라도 고령화 사회로 접어든 지 오래다. 최근 들어 전국적으로 웰다잉 문화에 대한 다양한 교육 프로그램이 이뤄지고 있다. 행복하게 인생을 살다가 마무리할 시점이 되었을 때는 편안하게 생을 마감할 수 있도록 하자는 것이다. 즉 생명 사랑, 인간 존중이라는 것이다. 그래서 실제 생활문화에 정착시키고자 하고 있다.

왜냐하면 웰빙의 완성은 웰다잉에 있기 때문이다. 자신의 생애를 글로 쓸 수도 있겠지만, 사진으로 만들어보는 것도 의미 깊은 좋은 방법이다.

사진을 활용한 자서전의 장점은 누구나 접근할 수 있고 자신의 삶을 사진으로 엮으며 지난 삶의 소중함과 앞으로의 삶을 열어 가는데 큰 의미를 갖는다. 인생회고는 자신의 삶을 정리하고 재구성하며 여생을 평온하게 보내는 데 도움이 되는 일종의 정신치료요법으로서 노인성 치매나 우울증 등에도 높은 치료적인 효과가 있다. 한 개인의 역사는 본인에게 있어서는 이 세상의 그 무엇과도 바꿀 수 없는 귀중한 것이다. 그 사람만의 소중한 삶의 발자취를 정리하는 것은 매우 의미 있는 일이다.

자서전을 쓴다는 것은 기억 속에 감추어져 있었던 재료를 끄집어내는 것이다. 즉, 자서전 쓰기의 목적은 자서전 쓰기를 통하여 잊고 있었던 소중한 것을 발견하고 인생의 의미를 재고해보며 앞으로 다가올 삶을 새롭게 설계하기 위함이다. 자서전 쓰기를 통하여 인생의 의미를 재발견하고 노화과정을 탐색하며 있는 그대로의 자신을 이해하며 삶을 있는 그대로 표현하고 수용하는 것이 중요하다. 즐거웠거나 힘들었던 시간들, 행복하고 즐거웠던 경험들과 의미 있었던 시간들을 시각적인 회상과 함께 자기만의 소중한 삶의 의미를 재음미하며 긍정적인 삶으로 통합할 수 있다.

각자 살아온 인생만큼의 이야기를 사진으로 엮어가며 나만의 자서전을 만들어가는 수업을 진행한다. 소중한 순간들의 의미를 되새기며 지난 삶을 다독이고 다가올 삶을 더 소중하게 맞이하는 시간이 된다. '사진을 활용한 자서전'에는 사진을 시대별로 정리하여 삶의 소중한 순간의 기억을 글로 기록하고 인생연대표, 인생그래프, 인생스토리, 버킷리스트, 사전장례의향서, 유서, 묘비명 등의 서식도 함께 작성하여 첨부한다(제주불교신문, 2022).

[그림 5] 사진으로 쓰는 자서전

출처: https://youtu.be/v6ztJK-Q9PA

참고문헌

공영직, 안태호(2017). 노년예술수업 뭐라도 배우고, 뭐라도 나누고, 뭐라도 즐기자. 서해문집.

그림으로 쓰는 나의 특별한 자서전(2022). https://m.blog.naver. com/dosim_senior/222771657095

김미혜(2015). 전기문에 대한 비판적 읽기 교육의 방법 연구: 2009 개정 국어과 교육과정과 초등 국어과 교과서 분석을 바탕으로. 독서연구, 35, 113-144.

김순미(2004). 인성교육을 위한 자서전 쓰기 교수 · 학습 방법 연구. 조선대학교 교육대학원 석사학위논문.

김재은(2007). 자전적 글쓰기의 원리와 방법 연구. 한국외국어대학교 교육대학원 석사학위논문.

김정란(2014). 자기 표현적 글쓰기의 비판적 검토와 지도 방향 모색. 작문연구, 20, 199-229.

김중수(2011). 전기문의 장르 관습과 교육적 적용. 우리말교육현장연구, 5(2), 250-280.

김혜정a(2009). 국어과 교육과정 내용에 대한 비판적 고찰. 작문연구, 8, 299-335.

김혜정b(2009). 자아탐색을 위한 자서전 쓰기 교육방법 연구. 한국외국어대학교 교육대학원 석사학위논문.

담양문화원(2022). http://dyculture.kr/

류한조(2019). 생애기억 아카이브를 이용한 노인의 자서전-쓰기 콘텐츠 기획 연구. 건국대학교 박사학위논문.

박미정(2006). 전기문 쓰기의 지도 요소 연구. 작문연구, 2, 145-190.

박정은(2022). 가치탐구와 내러티브 수업모형이 결합된 나라 사랑교육을 위한 위인 전기문 수업 방안. 인문사회21, 13(4), 697-712.

백세시대(2021). http://www.100ssd.co.kr

사진으로 쓰는 자서전(2021). https://youtu.be/v6ztJK-Q9PA

송은영, 전순영(2022). 자서전 만들기를 활용한 집단미술치료가 요양병원 입원노인의 행복감과 삶의 질에 미치는 효과. 미술치료연구, 29(5), 1227-1250.

오다영(2021). 노인의 자아 통합 향상을 위한 자서전만들기 집단미술치료 프로그램 개발. 평택대학교 박사학위논문.

오임순(2009). 표현적 쓰기를 활용한 중학생 쓰기 지도 방안 연구. 한국교원대학교 교육대학원 석사학위논문.

윤금준(2022). 자기표현적 글쓰기의 교육적 효과 분석. 새국어교육, 132, 249-289.

윤영미, 박혜영(2018). 노래자서전 음악활동이 노인의 자아통합감에 미치는 효과. 예술심리치료연구, 14(1), 27-46.

이미정(2017). 기억의 정치학과 해방 이후 한국문단 형성 과정 연구 - 1948~1960년의 문단 회고록을 중심으로. 문화와융합, 39(4), 371-398.

이수미(2012). 자기 표현적 쓰기 텍스트의 발달적 특성. 국제한국어교육학회 춘계학술발표논문집, 102-119.

이승신(2005). 司馬遷과 歐陽修의 문장의 이동에 대하여 - 傳記文學을 중심으로. 중국어문학지, 17.

이영애(2005). 전기문 지도 방안 연구. 어문학교육, 30, 187-217.

이은정(2011). 음악자서전 활동이 척수손상환자들의 자기지각 및 자기수용 능력에 미치는 영향. 한국음악치료학회지, 13(1), 67-84.

이은정, 조성호(2000). 심리적 상처 경험에 대한 글쓰기 고백의 효과. 한국심리학회지: 상담 및 심리 치료, 12(2), 205-220.

장정윤(2011). 학습자 중심의 전기문 독서지도. 독서교육연구, 8, 37-61.
전은주(1999). 말하기 듣기 교육론. 경기: 박이정출판사.
정기철(2010). 글쓰기 능력 향상을 위한 자기표현 글쓰기 - '내 슬픔에 대해 글쓰기'를 중심으로. 한국언어문학, 74, 529-558.
정락길(2015). 영상 활용 인문치료의 가능성 모색 - 영상 자화상 만들기. 인문과학연구, 44, 551-574.
정혜진(2007). 자서전 쓰기 교육 방법 연구. 신라대학교 교육대학원 석사학위논문.
제주불교신문(2022). http://www.jejubulgyo.com
조병철, 최승호(2019). 초고령화 시대를 대비한 영상 스토리텔링 연구 - 영상자서전 교육 프로그램 모델과 미디어 라이프 서비스를 중심으로. 방송공학회논문지, 24(5), 859-869.
천정은(2004). 자서전쓰기지도방법연구. 한국교원대학교 교육대학원 석사학위논문.
최경도(2008). 자서전 연구의 성격과 전망. 영미영문학, 12(1), 129-145.
최경도(2008). 전기, 자서전, 소설 : 자기표현 양식의 변화. 외국문학연구, 30, 117-132.
최숙기(2007). 자기 표현적 글쓰기(expressive writing)의 교육적 함의. 작문연구, 5, 205-240.
최현섭(2000). 삶과 글쓰기. 서울: 삼영사.
하정혜, 유정록, 배홍연(2021). 성인학습자를 위한 Online Collaborative Tool을 활용한 자서전쓰기 지도 사례. 학습자중심교과교육연구, 21(2), 493-512.
한정란(2004). 노인 자서전 쓰기. 서울: 학지사.
황유정a(2008). 선행조직자로서의 마인드맵을 활용한 지리과 수업 연구. 전남대학교 교육대학원 석사학위논문.

황유정b(2009). 자서전 통합 단원 구성 방안 연구. 경남대학교 교육대학원 석사학위논문.

Borchers, T. (1999). Self-disclosure and Openness. http://www.abcon.com/commstudies/interpersonal/ndisclousure

Britton, J. N. (1970). Language and Learning, Coral Gables, FL : University of Miami Press, [ED 052 217].

Britton. J., Burgess. T., Martin. N., McLeod, A., & Rosen. H. (1975). The development of writing abilities. London : Macmillan, 11-18.

Bruscia, K. E. (1998). 음악심리치료의 역동성. 최병철, 김영신 공역(2006). 서울: 학지사.

Cobine, G. R. (1995). Teaching Expressive Writing, ERIC Clearinghouse on Reading, English, and Communication Digest.

Collins, C. (1985). The Power of Expressive Writing in Reading Comprehension. Language Arts, 2(1), 48-54.

Ellis, D. (2000). Literary Lives: Biography and the Search for Understanding. New York: Routledge.

James, W. P. (1997). 글쓰기치료. 이봉희 역(2007). 서울: 학지사.

Kathleen, A. (1990). 저널치료-자아를 찾아가는 나만의 저널쓰기. 강은주, 이봉희 역(2007). 서울: 학지사.

Kathleen, A. (1990). 저널치료의 실제. 강은주, 이봉희, 이영식 공역(2007). 서울: 학지사,

Philippe, L. (1975). 자서전의 규약. 윤진 역(1998). 서울: 문학과 지성사.

Radocy, R. E., & Boyle, J. D. (2001). 음악심리학. 최병철, 방금주 공역(2018). 서울: 시그마프레스.

자서전 어제와 내일을 기록하다

발　행 | 2024년 01월 30일
엮은이 | 유정록, 하정혜, 배홍연(선홍평생교육원)
펴낸이 | 한건희
펴낸곳 | 주식회사 부크크
출판사등록 | 2014.07.15.(제2014-16호)
주　소 | 서울특별시 금천구 가산디지털1로 119 SK트윈타워 A동 305호
전　화 | 1670-8316
이메일 | info@bookk.co.kr

ISBN | 979-11-410-6946-9

www.bookk.co.kr